TU VEUX EN SAVOIR PLUS SUR LES HABITUDES DE VIE LIÉES À UN MODE DE VIE SAIN ET ACTIF?

TU AIMERAIS FAIRE LE BILAN DE TES CONNAISSANCES?

RENDS-TOI SUR LE COMPAGNON WEB DE LA COLLECTION *SAINS ET ACTIFS* À L'ADRESSE

www.erpi.com/sainsetactifs.cw

Tu y trouveras :

- ✓ ton plan d'action virtuel que tu pourras compléter EN LIGNE ;
- ✓ des informations variées et fiables sur les habitudes de vie (ex. : diagrammes, photographies, tableaux, textes, vidéos, etc.) qu'on t'invite à adopter ou à maintenir dans ton plan d'action ;
- ✓ des suggestions de lectures, des adresses Internet et diverses ressources ;
- ✓ des activités complémentaires à celles de ton cahier et des outils pratiques pour réaliser de courts projets ;
- ✓ et plus encore...

Comment avoir accès au **Compagnon Web?**

1. Va à l'adresse **www.erpi.com/sainsetactifs.cw**

2. Entre le nom d'utilisateur et le mot de passe ci-dess[...]

Nom d'utilisateur	Mot de passe
cw921129	da33de

3. Suis les instructions à l'écran

Assistance technique : tech@erpi.com

11101w

4e
secondaire

Sains et actifs

ÉDUCATION PHYSIQUE ET À LA SANTÉ • CAHIER DE SAVOIRS ET D'ACTIVITÉS

Richard Chevalier

Stéphane Daviau

ÉDITIONS DU RENOUVEAU PÉDAGOGIQUE INC.

5757, RUE CYPIHOT, SAINT-LAURENT (QUÉBEC) H4S 1R3
TÉLÉPHONE : 514 334-2690   TÉLÉCOPIEUR : 514 334-4720
erpidlm@erpi.com   w w w . e r p i . c o m

Directrice de l'édition
Diane Pageau

Chargées de projet
Valérie Lanctôt
Marie-Soleil Boivin

Recherchistes (photos et droits)
Pierre-Richard Bernier
François Daneau

Réviseures linguistiques
Valérie Lanctôt
Nathalie Larose

Correctrice d'épreuves
Isabelle Rolland

Directrice artistique
Hélène Cousineau

Coordinatrice aux réalisations graphiques
Sylvie Piotte

Conception graphique
Benoit Pitre
Interscript

Édition électronique
Interscript

Couverture
Benoit Pitre

Consultants scientifiques

- **Luc Denis,** directeur des programmes de Sports-Québec (responsable notamment du Programme des Jeux du Québec et du Programme national de certification des entraîneurs (P.N.C.E.) pour le Québec). Membre du conseil d'administration de l'Association canadienne des entraîneurs (depuis 2006).

- **Marielle Ledoux,** Dt.P., Ph. D., professeure titulaire du Département de nutrition de l'Université de Montréal. Coauteure de l'ouvrage *Nutrition, sport et performance,* conseillère des athlètes du Centre national multisport-Montréal et formatrice à l'Institut national de formation des entraîneurs.

- **Patrick Leduc,** joueur professionnel de soccer, entraîneur et directeur technique de soccer au Collège Français de Longueuil et à l'Association régionale de soccer de la Rive-Sud.

- **Michel Portmann,** Ph. D. (physiologie de l'effort), professeur titulaire retraité du Département de kinanthropologie de l'UQAM et entraîneur d'athlètes olympiques, dont Bruny Surin.

- **Lynda Thibeault,** MD, B. Sc. nutrition humaine, M. Sc., FRCPC, D.E.P.A. médecin conseil, spécialiste en médecine communautaire à la Direction de santé publique de Laval, Unité Prévention-promotion.

Consultants pédagogiques (enseignants en éducation physique et à la santé au secondaire)
Patricia Bourcier, Juvénat Notre-Dame, Lévis.
Robert Richard, École Mitchell, CS Sherbrooke.
Patrick Robert, Collège Jean de la Mennais, Laprairie.
José-Antonio Tessier, École secondaire Les Compagnons de Cartier, CS des Découvreurs.
Johanne Tremblay, Polyvalente de La Baie, CS Rives-du-Saguenay.

Remerciements
Les auteurs et l'éditeur remercient Véronique Charbonneau et David Rhéaume pour avoir accepté de livrer leur témoignage d'un parcours sain et actif, transmis dans la section À L'AFFICHE !

Ils remercient également les 35 enseignants en éducation physique et à la santé des régions de Montérégie, Sherbrooke, Québec et Saguenay-Lac-Saint-Jean pour avoir transmis leurs conseils judicieux lors de l'élaboration de cet ouvrage.

Ils tiennent également à remercier le Collège Français secondaire de Longueuil pour avoir gracieusement contribué à la séance de photographies des exercices illustrés dans la section BILAN DE TA CONDITION PHYSIQUE. Un merci tout spécial à Rubiela Amaya, Nathalie Gendron, Pierre Giguère et Christine Lemieux.

Dépôt légal – Bibliothèque et Archives nationales du Québec, 2009
Dépôt légal – Bibliothèque et Archives Canada, 2009

Imprimé au Canada   234567890 SO 16 15 14 13 12
ISBN 978-2-7613-2996-5   11109 ABCD   ENV 94

Par souci d'environnement, ce cahier est imprimé sur du papier contenant 100 % de fibres recyclées postconsommation, fabriqué au Québec, certifié Éco-Logo, traité avec un procédé sans chlore et fabriqué à partir d'énergie biogaz.

Table des MATIÈRES

À L'AFFICHE !
DAVID RHÉAUME, adepte du conditionnement physique .. 40
VÉRONIQUE CHARBONNEAU, joueuse de basketball ... 62

EN VEDETTE

Maryse Turcotte, une haltérophile qui ne prend pas
de suppléments alimentaires 76

Réflexion sur le stress de Sophie,
une adolescente de 16 ans 97

VUE D'ENSEMBLE
de ton cahier

La collection **Sains et actifs** accompagne les élèves du secondaire dans le développement de la compétence 3 du programme de formation en éducation physique et à la santé : *Adopter un mode de vie sain et actif.*

Le contenu se présente sous une forme dynamique et colorée, appuyée par de nombreuses photographies et rubriques. Au-delà de l'attrait visuel, ces éléments jouent un rôle important dans les savoirs liés aux habitudes de vie et aux paramètres d'une vie saine et active. Les activités proposées te permettront de faire le point sur tes connaissances et de t'interroger sur les causes et les conséquences de certains choix dans ton mode de vie pour en tirer tes propres conclusions.

Nous t'invitons à mieux comprendre ce qu'on entend par *adopter un mode de vie sain et actif* et à te questionner sur les divers aspects de tes habitudes de vie : activité physique, alimentation, sommeil, stress et autres comportements sous influence.

> **Les corps parfaits n'existent pas, mais les corps en santé, oui !**

FAIS LE POINT, REGARD CRITIQUE et BILAN DE TA CONDITION PHYSIQUE

Des activités diverses te permettent de vérifier ta compréhension, d'interpréter les informations et t'invitent à réfléchir sur les aspects liés à l'importance d'adopter un mode de vie sain et actif. Une section te propose de faire le bilan de ta condition physique actuelle pour t'aider à fixer tes objectifs personnels à intégrer à ton plan d'action.

À L'AFFICHE ! te présente des adolescents et de jeunes adultes actifs qui accordent de l'importance à un mode de vie sain et actif. L'activité physique prend une grande place dans leur horaire et ils y trouvent des sources de valorisation, de motivation, de développement personnel et de plaisir.

EN VEDETTE te fait connaître des personnalités dont le profil est lié aux thèmes traités dans la section où elles apparaissent.

Dans un style dynamique et concis, prenant l'allure d'un blogue, **FORUM** te présente des questions et des réponses portant sur des sujets importants liés à la santé et à l'activité physique.

Des rubriques ajoutent, aux endroits appropriés, de l'information pertinente au thème traité dans chaque section du cahier.

Savais-tu que…
Les sports qui sollicitent toujours le même côté du corps (ex.: sports de raquette, balle molle, escrime, golf, etc.) favorisent un développement inégal des os et des muscles. Ainsi, les jeunes qui ne pratiquent que des sports asymétriques, surdéveloppent leur côté droit (dans le cas des droitiers) au détriment de leur côté gauche. À la longue, ils risquent de se retrouver comme l'ex-numéro un mondial de tennis, l'Allemand, Boris Becker. À 13 ans, les muscles et les os de son côté droit étaient 30% plus développés que ceux de son côté gauche. Ses entraîneurs furent alors obligés de lui prescrire un entraînement spécial visant à rééquilibrer le volume d'exercices entre le côté droit et le côté gauche de son corps. Toutefois, si tu pratiques en alternance un sport asymétrique et un sport ambidextre (ex.: arts martiaux, natation, patinage, ski alpin, soccer, vélo, etc.), tu éviteras le problème de Becker !

Des texte en encadré complètent chacune des sections par des données provenant d'études, d'enquêtes ou d'organismes qui sont des références précieuses pour parfaire ta compréhension des thèmes développés.

À LA UNE !
Je vis dans un environnement obésogène si :
• Je consomme des aliments denses en énergie contenant des sucres ajoutés (ex.: boissons gazeuses, jus de fruits avec sucre ajouté, etc.) et du gras (ex.: friture, malbouffe, plats congelés, restauration rapide, etc.); mes portions sont trop grosses.
• Je ne suis pas assez actif ou pas assez active physiquement dans mes loisirs et à l'école.
• J'occupe trop de mon temps libre dans des activités de loisir inactif (ex.: jeux vidéo, ordinateur et télévision).
Source : Adapté de Paul BOISVERT, «L'augmentation de la prévalence de l'obésité de l'enfant est due à un environnement obésogène», présentation faite au Symposium sur l'obésité infantile, dans le cadre du 5e congrès de physiologie de l'exercice chez l'enfant, Montréal, du 26 au 29 octobre 2008.

Cette rubrique résume les renseignements importants à retenir pour ta réflexion sur ton plan d'action.

Les mots clés, qui sont **soulignés** en bleu, sont définis pour t'aider à mieux comprendre le sujet traité. Ces mots clés sont repris dans le glossaire à la fin du cahier.

⊕ **Nutriment**
Élément contenu dans les aliments et pouvant être entièrement et directement assimilé par l'organisme. Les nutriments sont généralement classés en nutriments énergétiques (les glucides, les lipides et les protéines) et en nutriments essentiels (les vitamines, les minéraux et l'eau).

Suggestions de publications, de sites Web, d'organismes de soutien ou de référence en lien avec le thème abordé.

POUR EN SAVOIR PLUS ✚
Pour en savoir plus sur le contenu de ce guide, visite le site de Santé Canada au www.hc-sc.gc.ca.

Référence au COMPAGNON WEB de la collection où tu trouveras des renseignements complémentaires, des idées de projets et des activités supplémentaires. Tu y trouveras aussi un canevas qui te permettra de créer ton portfolio personnel et ton plan d'action virtuel que tu pourras conserver tout au long de ton secondaire.

Une vie saine signifie
faire des choix positifs qui
améliorent ta santé physique et mentale.

Tu fais ces choix quand...

… tu manges une bonne variété d'aliments
de qualité ;

+

… tu pratiques une activité physique régulièrement
et tu bouges pour garder la forme, réduire ton stress
et augmenter ton niveau d'énergie ;

+

… tu t'abstiens de fumer ou d'adopter des
habitudes de consommation néfastes
pour ta santé.

Ce ne sont plus les microorganismes qui nous terrassent, mais nos propres comportements, c'est-à-dire nos habitudes de vie

Une vie saine et ACTIVE

Adopter un mode de vie sain et actif, telle est une des trois compétences que tu dois continuer à développer cette année dans ton cours d'éducation physique et à la santé. Pourquoi en faire une compétence dans ton programme d'études ? Pour une raison bien simple : ce ne sont plus les microorganismes qui nous terrassent, mais nos propres comportements, c'est-à-dire nos habitudes de vie.

Les maladies les plus répandues dans la population résultent principalement de **trois habitudes de vie** : l'insuffisance d'activité physique, la malbouffe et le tabagisme.

En clair, le cumul de mauvaises habitudes de vie pourrait faire en sorte que l'espérance de vie se mette à faire du surplace, ce qui n'était pas arrivé depuis fort longtemps...

① Un monde plein D'HORIZONS

Il y a quelques décennies à peine, il était fréquent pour les jeunes de ton âge d'abandonner l'école pour aller travailler. Il le fallait bien parce que les parents ne parvenaient pas toujours à boucler leur budget ; ils avaient donc besoin d'aide.

En ces temps difficiles, et pourtant pas si lointains, l'avenir offrait aux jeunes moins de possibilités qu'aujourd'hui.

Aujourd'hui, les études sont plus valorisées et elles te fournissent les outils nécessaires pour faire ton chemin dans un monde complexe. Plusieurs programmes d'études sont désormais proposés aux jeunes de ton âge, tant pour les métiers techniques que pour les études post-secondaires. En même temps, ce monde te place devant un éventail d'horizons divers et de possibilités quasi infinies, dans la mesure où tu veux bien te donner la peine de les voir.

Des exemples ? En voici quelques-uns, à commencer par les activités parascolaires offertes par ton école. Tu peux ainsi, après les heures de classe, suivre des cours d'art dramatique, de conditionnement physique, d'espagnol, de guitare, de peinture à l'huile, de tai-chi, etc. Tu peux t'impliquer dans un projet communautaire consacré à l'environnement, aux médias (ex. : le journal étudiant en ligne, la radio étudiante, etc.) ou à l'aide internationale, ce qui pourrait t'amener à voyager. Bref, la vitrine parascolaire des écoles secondaires déborde de choix.

La participation à de telles activités crée des liens significatifs avec les autres. Elles ont souvent permis à des jeunes vivant des difficultés en classe de connaître des succès, de se dépasser et, même, de s'illustrer. Ils ont ainsi pu développer un sentiment d'appartenance vis-à-vis leur école.

Tu as aussi la chance de pouvoir réfléchir à ton avenir en amorçant ta réflexion, si ce n'est déjà fait, sur le métier que tu veux exercer.

En fait, les possibilités sont inouïes en autant que tu finisses au moins tes études secondaires avec succès. Après cela, plusieurs portes s'ouvriront devant toi.

Au bout du compte, c'est à toi qu'il revient de faire des choix. C'est en exerçant ton privilège de choisir que tu renforces ton autonomie et ton indépendance d'esprit. Et ça, c'est capital pour tracer ta propre voie !

> Elles ont souvent permis à des jeunes vivant des difficultés en classe de connaître des succès, de se dépasser et, même, de s'illustrer

② UN CHEMIN
cahoteux mais déterminant

C'est en 4ᵉ secondaire qu'un nombre grandissant de jeunes de ton âge commencent à occuper un emploi à temps partiel, question de se faire un peu plus d'argent de poche. Un nouveau défi surgit alors : concilier le travail, les loisirs et les études. Il est impératif que ton emploi ne nuise pas à tes résultats scolaires, car ceux-ci détermineront éventuellement la qualité de l'emploi que tu occuperas dans les prochaines années.

Une abondance de divertissements et de loisirs

Si tu ne participes pas aux activités parascolaires de ton école, tu peux te tourner vers la multitude de divertissements et de loisirs que t'offre la société en dehors des murs de l'école.

Tu as la possibilité de faire du sport amateur (non scolaire), comme du hockey ou du soccer, ou de joindre un club sportif (ex. : club d'escrime, club de karaté, club de natation, club de patinage de vitesse, club de tennis, etc.). Il ne faut surtout pas oublier tous ces loisirs relativement nouveaux, issus de la grande toile : **blogues**, clavardage, jeux en ligne, etc.

Hélas ! il y a un revers à cette médaille : l'influence de certains cercles d'amis, t'offre parfois des occasions d'expérimenter des divertissements qui peuvent entraîner chez toi une dépendance nuisible pour ta santé physique et mentale, tels que la consommation de drogues, d'alcool ou de tabac.

Blogue

Page Web personnelle où l'internaute écrit, sur une base régulière et sur divers sujets, de courts billets au ton libre, habituellement présentés dans un ordre chronologique inversé et assortis de liens vers des pages analogues.

> Un nouveau défi surgit alors : concilier le travail, les loisirs et les études

> Tu peux te tourner vers la multitude de divertissements et de loisirs que t'offre la société en dehors des murs de l'école

REGARD CRITIQUE

Martin a des habitudes bien établies. Il apprécie le basketball qu'il pratique en parascolaire tous les mardis et il se passionne pour les jeux d'ordinateur en réseau. À l'occasion, il fait de la planche à roulettes avec une amie.

Depuis peu, il rêve de s'acheter un scooter, comme celui d'un autre gars à l'école. Un scooter, quelle liberté ! Après avoir tenté de convaincre ses parents de lui en acheter un, sans succès, il leur a proposé de commencer à travailler. Depuis le début d'octobre, Martin occupe donc un emploi de commis, à raison de 20 heures par semaine.

Observe les changements qui se sont produits dans sa vie, depuis qu'il a un emploi, en consultant son agenda ci-dessous. Réponds ensuite aux questions de la page suivante.

Mardi 15 septembre

7 h : *Lever.*

8 h : *Départ pour l'école.*

8 h 30 à 15 h 30 : *Présence à l'école.*

15 h 40 à 16 h 40 : *Activité parascolaire (basketball).*

17 h à 18 h : *Souper en famille.*

18 h à 19 h : *Devoirs.*

19 h à 21 h 30 : *Lire, regarder la télévision, jouer à l'ordinateur ou faire de la planche à roulettes avec une amie.*

22 h : *Coucher.*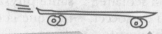

Mardi 20 octobre

6 h 30 : *Lever.*

7 h 30 à 8 h : *Devoirs.*

8 h : *Départ pour l'école.*

8 h 30 à 15 h 30 : *Présence à l'école.*

20 min de devoirs au cours de la pause du dîner.

16 h à 21 h 10 : *Emploi de commis dans un magasin.*

21 h 40 : *Arrivée à la maison.*

22 h 15 : *Coucher après un repas rapide.*

a) D'après toi, quelles peuvent être les conséquences de l'occupation d'un emploi dans la vie de Martin ? Nomme une conséquence possible pour chaque aspect de sa vie.

ASPECT	CONSÉQUENCE POSSIBLE
Activité physique	
Alimentation	
Sommeil	
Stress	
Consommation de substances nuisibles	
Autres	

b) Si tu devais établir uniquement quatre priorités dans ta vie, quelles seraient-elles ? Coche les quatre énoncés qui les décrivent le mieux.

Avoir de bons résultats scolaires. ☐

Faire de l'activité physique. ☐

Bien m'alimenter. ☐

Dormir suffisamment. ☐

Occuper un emploi. ☐

Socialiser avec mes amis, mon amoureux ou mon amoureuse. ☐

Passer du temps en famille. ☐

Me détendre. ☐

Autre : _____ ☐

L'adoption de saines habitudes de vie est essentielle au maintien d'une bonne santé

La santé se présente comme un état complet de bien-être physique, mental et social

Tes habitudes de vie
SOUS LES PROJECTEURS

L'adoption de saines habitudes de vie est essentielle au maintien d'une bonne santé. Pour l'Organisation mondiale de la Santé, la santé se présente comme un **état complet de bien-être physique, mental et social**. Le bien-être physique renvoie au bon fonctionnement du corps, et ce, même si on est aux prises avec un handicap ou une maladie.

Le bien-être mental et social renvoie, quant à lui, à la notion de *santé mentale*. L'Association canadienne pour la santé mentale définit la santé mentale comme un état d'équilibre psychique et émotionnel dynamique qui fait que la personne se sent bien avec elle-même, a des relations satisfaisantes avec autrui et est capable de faire face aux exigences de la vie. La santé mentale implique également que l'individu vive dans un milieu qui favorise son épanouissement.

Dans ce cahier, nous plaçons donc sous les projecteurs les habitudes de vie qui jouent un rôle de premier plan dans l'atteinte de cet état de bien-être physique et mental :

1. l'activité physique ;
2. l'alimentation ;
3. le sommeil ;
4. le contrôle de son niveau de stress ; et
5. d'autres comportements sous influence.

L'activité physique étant en quelque sorte le cœur de la compétence *Adopter un mode de vie sain et actif*, il va de soi qu'au cours de l'année, tu devras démontrer ton engagement dans une démarche visant l'amélioration de ta condition physique ou son maintien si elle est déjà d'un niveau élevé.

Tu concrétiseras cette démarche en poursuivant l'élaboration, l'application et l'évaluation de ton plan d'action, amorcé depuis le début de ton secondaire. Ce plan porte sur les comportements à adopter au quotidien pour modifier des habitudes nuisibles pour la santé ou pour consolider celles qui, au contraire, sont bénéfiques.

plan d'action p. 109

À LA UNE !

Être en bonne santé mentale, c'est...

- Être capable d'aimer la vie.
- Réussir à mettre ses aptitudes à profit et à atteindre des objectifs.
- Nouer et entretenir des relations harmonieuses avec les autres.
- Être en mesure d'éprouver du plaisir dans ses relations avec les autres.
- Se sentir suffisamment en confiance pour s'adapter à une situation à laquelle on ne peut rien changer ou pour travailler à la modifier dans la mesure du possible.
- Développer des stratégies pour faire face au stress.
- Être capable de demander du soutien à ses proches ou d'aller chercher de l'aide auprès d'organismes ou de spécialistes dans les moments difficiles.
- Découvrir des loisirs qui nous plaisent et trouver du temps pour s'y adonner.

Source : Adapté de l'Association canadienne pour la santé mentale, *Définir la santé mentale* [en ligne]. (Consulté le 18 mars 2009.)

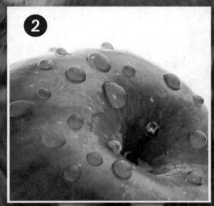

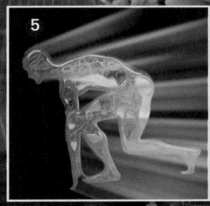

Fais le Point ✓✓✓

1 Voici des exemples d'activités physiques que tu pratiques ou que tu pourrais pratiquer. Note les cinq activités avec lesquelles tu as le plus d'affinités, par ordre de préférence.

Tu aimes faire des activités avec les autres ?
- Sports d'équipe (ex. : hockey, basket, soccer, baseball, football, etc.)
- Quilles
- Golf
- Danse
- Tennis
- Conditionnement physique en groupe
- Ski alpin/planche à neige

Tu préfères la solitude ?
- Natation
- Randonnée en forêt/marche
- Cardio en solo
- Ski de fond
- Jogging
- Musculation
- Vélo

Tu es énergique, voire compétitif ou compétitive ?
- Football
- Tennis
- Vélo de route
- Patinage de vitesse
- Boxe
- Escrime
- Arts martiaux
- Lutte

Tu as un tempérament calme ?
- Yoga
- Danse
- Patin à roues alignées
- Tai-chi
- Canotage
- Randonnée pédestre
- Patinage artistique
- Yoga/Pilates

Tu as un penchant pour la spontanéité ?
- Vélo de montagne
- Volleyball
- Soccer
- Planche à roulettes

Tu recherches les sensations fortes ?
- Ski alpin
- Karaté
- Escalade
- Planche à neige
- Kayak de mer ou de rivière
- Parachutisme

Tu recherches les grands espaces, le plein air ?
- Randonnée en forêt/marche
- Ski de fond
- Raquette
- Jogging
- Vélo de montagne/vélo de route

Les activités physiques qui m'intéressent :
1. _____
2. _____
3. _____
4. _____
5. _____

2 **a)** Dans le tableau suivant, note les activités physiques que tu pratiques habituellement pendant une semaine, en précisant la durée de chacune.

Jour	Activités physiques	Durée des séances (en minutes)
Lundi		
Mardi		
Mercredi		
Jeudi		
Vendredi		
Samedi		
Dimanche		

b) As-tu réussi à atteindre le niveau d'activité physique qu'on te suggère ? Coche la case qui correspond le mieux à ta situation.

☐ Oui, j'ai fait de 20 à 30 minutes d'activité physique d'intensité modérée à élevée, chaque jour.

☐ Oui, j'ai fait 2 ou 3 blocs de 10 minutes d'activité physique d'intensité modérée à élevée, chaque jour.

☐ Oui, j'ai fait de 30 à 45 minutes d'activité physique d'intensité modérée à élevée, en continu, de 3 à 5 fois au cours de la semaine.

☐ Non.

3 Si tu as coché *Non* à la question précédente, réponds aux questions suivantes.

a) Quelles sont les contraintes qui t'empêchent de faire davantage d'activités physiques ?

☐ Mes travaux scolaires prennent tout mon temps.

☐ J'habite loin des installations sportives et je n'ai pas accès à un moyen de transport pour m'y rendre.

☐ Mes amis ne sont pas très actifs.

☐ J'ai des obligations familiales (ex. : gardiennage).

☐ Mon état de santé ne me le permet pas.

☐ Je n'ai pas les ressources financières nécessaires pour pratiquer l'activité physique de mon choix.

☐ Je n'ai pas vraiment de contraintes qui expliquent mon niveau d'inactivité physique.

☐ Autre : _____

_____

b) Quels changements pourraient être apportés à ton mode de vie pour te rendre plus actif ou plus active ?

☐ Rechercher la compagnie d'amis actifs.

☐ Faire des choix parmi les activités que je peux me permettre financièrement.

☐ Faire des choix parmi les activités que je peux pratiquer près de chez moi.

☐ Faire des choix parmi les activités adaptées à mon état de santé.

☐ Aménager différemment mon horaire de devoirs pour trouver le temps de faire des activités physiques.

☐ Mettre la priorité sur l'activité physique dans mes loisirs.

☐ Autre : _____

_____

c) Consulte la liste d'activités physiques que tu as établie au n° 1. Lesquelles pourrais-tu ajouter à ton horaire ?

_____

_____

_____

_____

_____

① L'ACTIVITÉ PHYSIQUE : le cœur d'un mode de vie sain et actif

Il y a une autre raison qui justifie l'insertion de la compétence *Adopter un mode de vie sain et actif*, dans ton cours d'éducation physique et à la santé. Dans l'énoncé de la compétence, il y a le mot *actif* qui réfère à la pratique régulière de l'activité physique.

Cette référence est tout à fait pertinente quand on sait que cette habitude de vie a un effet d'entraînement positif sur d'autres habitudes.

Dans les faits, plus on ressent les bienfaits de l'activité physique, plus on cherche à améliorer son mode de vie. En ce sens, l'activité physique est comme la locomotive qui tire les wagons. L'effet *locomotive* de l'activité physique sur la santé pourrait bien faire de cette seule habitude de vie la pierre angulaire d'une vaste campagne de promotion d'un mode de vie sain et actif. Voyons cela plus en détail.

♥ L'ACTIVITÉ PHYSIQUE ET LA CIGARETTE

Des études effectuées auprès d'adeptes du jogging et de la musculation ont révélé que de 75 % à 80 % de ceux qui, au départ, fumaient ont abandonné la cigarette par la suite. Les chercheurs des *Centers for Disease Control and Prevention*, aux États-Unis, rapportent, quant à eux, que 81 % des hommes et 75 % des femmes qui étaient fumeurs ont abandonné la cigarette après avoir commencé à faire du jogging de façon régulière.

Toutefois, l'étude la plus concluante, à ce jour, portait sur 281 femmes fumeuses qui participaient à un programme d'abandon de la cigarette, mais dont la moitié suivait en plus un programme d'activité physique. Ce programme consistait en 3 séances de 50 minutes d'exercices aérobiques, 3 fois par semaine, pendant 12 semaines.

Les résultats indiquent que les femmes qui combinaient les programmes d'abandon et d'exercices ont été deux fois plus nombreuses à cesser de fumer, comparativement à celles qui ne suivaient que le programme d'abandon du tabac.

Enfin, l'activité physique peut aider les ex-fumeurs à tenir le coup pendant la difficile période du sevrage. En effet, l'activité physique est un relaxant naturel qui atténue les symptômes causés par la privation de nicotine. Le fait que beaucoup d'ex-fumeurs décident d'écraser, une fois qu'ils ont commencé à faire de l'activité physique est d'ailleurs significatif. Bref, l'activité physique agit de manière préventive en te gardant dans le clan des non-fumeurs et aussi comme un traitement, en t'aidant à cesser de fumer si tu as déjà développé cette dépendance.

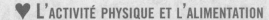

♥ L'ACTIVITÉ PHYSIQUE ET L'ALIMENTATION

La recherche est moins claire sur ce point, car il n'y a pas d'études qui montrent qu'on mange mieux lorsqu'on devient physiquement plus actif ou plus active. Par contre, on se doute bien que l'activité physique favorise la prise de conscience de l'importance de bien manger, car tes choix alimentaires t'assurent d'avoir les réserves en énergie nécessaires. À quoi cela servirait-il d'améliorer sa santé cardiovasculaire par l'activité physique tout en continuant à consommer des aliments qui nuisent à la santé du cœur et des artères ? Un tel comportement serait paradoxal.

♥ L'ACTIVITÉ PHYSIQUE ET LE STRESS

L'activité physique, en détendant les muscles, nous fait prendre conscience de la tension qui règne dans certaines régions de notre corps (le cou, les épaules et le dos, en particulier). Plusieurs études ont d'ailleurs fait la preuve que l'activité physique est un remarquable agent antistress et un véritable baume pour la santé mentale. Nous reviendrons sur le sujet lorsque nous aborderons le stress.

♥ L'ACTIVITÉ PHYSIQUE ET LE SOMMEIL

Plusieurs études ont démontré que l'activité physique aide à mieux dormir. Ainsi, au cours d'un sondage effectué en Finlande, 33 % des hommes et 30 % des femmes ont indiqué que l'activité physique était le facteur qui favorisait le plus le sommeil. Parmi les personnes qui avaient fait le plus d'activités physiques au cours des 3 mois précédant le sondage, 43 % ont déclaré mieux dormir, alors que 30 % de celles qui avaient fait le moins d'activités physiques pendant la même période ont indiqué dormir plutôt mal. D'autres recherches indiquent que l'activité physique pratiquée à la lumière du jour est le comportement qui permet le mieux d'améliorer le sommeil.

♥ L'ACTIVITÉ PHYSIQUE ET LES DROGUES

L'activité physique n'a peut-être pas d'effet direct sur l'usage des drogues, mais elle peut avoir une influence sur les facteurs liés à cet usage. Par exemple, la consommation de drogues s'accompagne souvent d'une pauvre estime de soi, d'anxiété et de dépression ; trois facteurs que la pratique régulière d'une activité physique peut améliorer. Les données recueillies par la Société canadienne de physiologie de l'exercice montrent aussi que les régimes d'entraînement vigoureux freinent l'usage de drogues mieux que tout autre type de programme antidrogue. L'activité physique a aussi un effet modérateur sur la consommation d'alcool, puisque les deux comportements sont difficilement conciliables.

Il n'y a aucun autre facteur qui peut stimuler autant ton métabolisme et ton appareil cardiovasculaire que la pratique d'une activité physique d'intensité modérée ou élevée

1.1 Pas de répit pour le métabolisme !

Pendant que tu lis ce cahier, tu es en état de **métabolisme de repos** et, forcément, ta dépense calorique est faible, ton pouls et ta tension artérielle sont presque au plus bas, et tu respires normalement. D'un point de vue physiologique, c'est le calme plat. Toutefois, dès que tu joues au hockey, au soccer ou au basket, ou que tu t'entraînes sur un **exerciseur cardiovasculaire**, ou encore, que tu fais une séance endiablée de hip hop, ton métabolisme s'active.

Tes quelque 600 **muscles squelettiques** multiplient par 10, au moins, l'activité de ton métabolisme. Ta dépense de calories à la minute peut passer alors de 2 calories à plus de 10 ; ton pouls de 65 battements à la minute à plus de 180 ; ta tension artérielle de 120/80 à plus de 160/90 ; ton rythme respiratoire peut tripler ; la température de ton corps peut grimper de 2 °C ou 3 °C et ; même le sang est redistribué vers les muscles actifs. Si l'intensité de l'effort est élevée ou maximale, l'activité métabolique peut augmenter de 20 fois par rapport au métabolisme de repos. En fait, il n'y a aucun autre facteur qui peut stimuler autant ton métabolisme et ton **appareil cardiovasculaire** que la pratique d'une activité physique d'intensité modérée ou élevée.

Métabolisme de repos

Quantité d'énergie dépensée par le corps en état de repos, par exemple lorsqu'on suit un cours ou qu'on regarde un film.

Exerciseur cardiovasculaire

Appareil d'entraînement qui vise à améliorer l'endurance du cœur (ex. : vélo stationnaire ; exerciseur elliptique ; tapis roulant ; simulateur d'escalier ; rameur ; etc.).

Muscle squelettique

Muscle volontaire fixé à un os du squelette, qui en permet le mouvement.

Appareil cardiovasculaire

Ensemble constitué du cœur et des vaisseaux sanguins, qui a pour fonction d'assurer la circulation du sang dans l'organisme.

LA VARIATION DE LA DÉPENSE ÉNERGÉTIQUE QUOTIDIENNE EN FONCTION DU NIVEAU D'ACTIVITÉ PHYSIQUE

	Activité physique d'intensité modérée à élevée* = 2000 calories (* Tu as fait une randonnée de trois heures et demie en raquettes à neige.)
AVQ = 700 calories	AVQ = 700 calories
MB = 1300 calories ou 65 % de la DÉQ	MB = 1300 calories ou 33 % de la DÉQ
Jour où tu es très peu actif ou très peu active	Jour où tu es très actif ou très active

Légende

AVQ : Activités de la vie quotidienne — DÉQ : Dépense énergétique quotidienne — MB : Métabolisme de base

La redistribution du sang dans l'organisme

Savais-tu que le cœur, dépendamment du sexe, de la taille et du poids d'un individu, pompe au repos de 5 L à 6 L de sang à la minute ? Au repos toujours, les muscles reçoivent, chaque minute, environ 20 % de cette quantité de sang tandis que les reins et les viscères (estomac, intestins, pancréas, foie, rate) en reçoivent 30 %.

Cependant, au cours d'une activité physique, le cœur peut pomper plus de 20 L de sang à la minute, qui sera redistribué ainsi : plus de 80 % dans les muscles actifs qui en ont grand besoin et seulement de 3 % à 5 % dans les reins et les viscères. Il n'y a que le cerveau qui ne soit pas affecté par cette redistribution du sang. C'est pour cette raison qu'il ne faut pas trop manger avant une activité physique. Le sang, donc ton énergie, sera dirigé vers les muscles au détriment de ton estomac qui, lui, aura de la difficulté à digérer les aliments.

Chaleur et sueur

Le muscle au travail transforme l'énergie fournie par les aliments en énergie mécanique. Cette transformation provoque cependant une perte d'énergie sous forme de chaleur qui peut représenter de 20 % à 45 % de l'énergie totale libérée par les cellules musculaires. Autrement dit, sur 100 calories dépensées par les muscles, de 20 à 45 produisent de la chaleur, et non du mouvement.

Si cette chaleur n'est pas dissipée et que le travail musculaire demeure intense, la température du corps peut grimper de 1 °C toutes les 5 à 8 minutes. À ce rythme, le corps surchauffe en moins d'une demi-heure.

Heureusement, notre corps dispose de plusieurs mécanismes pour se refroidir. Le plus actif et aussi l'un des plus efficaces est l'évaporation, c'est-à-dire le passage d'une substance de l'état liquide à l'état gazeux. Le liquide qui s'évapore de l'organisme est la sueur. Constituée d'eau à 99 % et d'un peu de chlorure de sodium (d'où son goût légèrement salé), la sueur est évacuée par deux à quatre millions de glandes sudoripares, selon les individus.

La quantité de sueur produite dépend de l'intensité et de la durée de l'effort physique. Par conséquent, plus les muscles travaillent, plus on a chaud et plus on sue. Lorsque la sueur arrive à la surface de la peau, sa température est identique à celle du corps, soit entre 38 °C et 40 °C en moyenne. Au contact de l'air ambiant, dont la température est généralement plus basse que celle du corps, la sueur s'évapore, ce qui refroidit la peau et, par ricochet, tout le corps. C'est ainsi que nous perdons de la chaleur par évaporation. Perdre de la chaleur, c'est donc perdre de l'eau. Par exemple, on peut facilement évacuer de un à deux litres de sueur à l'heure lors d'une randonnée à vélo par temps chaud. Au cours d'une activité physique intense de longue durée, ce sont de deux à trois litres d'eau à l'heure qu'on peut perdre. Voilà pourquoi il faut boire de l'eau quand on pratique une activité physique qui nous fait transpirer.

LA REDISTRIBUTION DU SANG DANS L'ORGANISME

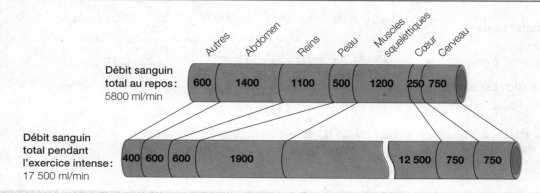

1.2 Au cœur du muscle

Pourquoi ce branle-bas physiologique lorsque tu pratiques une activité physique ? Tout simplement pour assurer aux muscles actifs un apport suffisant en énergie.

Pour être en mesure de se contracter et de se relâcher à répétition, les muscles ont besoin d'oxygène et de certains nutriments, en particulier du glucose. Ces sources d'énergie sont transportées dans le sang et dirigées vers les muscles actifs grâce à une activation du système cardiorespiratoire. Ce système fait appel au cœur, aux poumons et aux vaisseaux sanguins. La figure ci-dessous rappelle comment le système cardiorespiratoire amène l'oxygène et les nutriments vers les cellules (dans ce cas-ci, les cellules des muscles) et, aussi, comment il évacue le résidu principal de l'activité cellulaire, soit le gaz carbonique, ou *dioxyde de carbone* de son vrai nom.

LA FONCTION CARDIORESPIRATOIRE EN ACTION

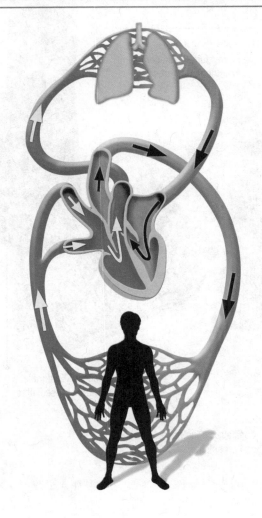

Influx nerveux

Phénomène de nature électrique par lequel l'excitation d'une fibre nerveuse se propage dans le nerf.

1.3 Attention : muscles au travail !

À présent, de quelle façon le muscle répond-il à la demande d'un travail accru ? Prends d'abord une minute pour examiner attentivement la figure ci-dessous. Elle te montre la constitution d'un muscle squelettique, ce qui t'aidera à comprendre la réponse à cette question.

Tu noteras que le muscle est composé de milliers de fibres regroupées en paquets ou *faisceaux*. Chaque faisceau est rattaché à un nerf, plus précisément sur une des ramifications d'un nerf ou *terminaison nerveuse*. Le muscle se contracte lorsqu'il reçoit un signal d'action du système nerveux. Ce signal, appelé **influx nerveux**, part du cerveau et atteint le muscle à la vitesse de l'éclair par le biais des terminaisons nerveuses. L'influx agit comme l'impulsion électronique émise par un ordinateur pour ouvrir un logiciel. D'ailleurs, appelons le duo fibre musculaire-terminaison nerveuse l'*unité informatique du muscle*.

LA CONSTITUTION D'UN MUSCLE SQUELETTIQUE

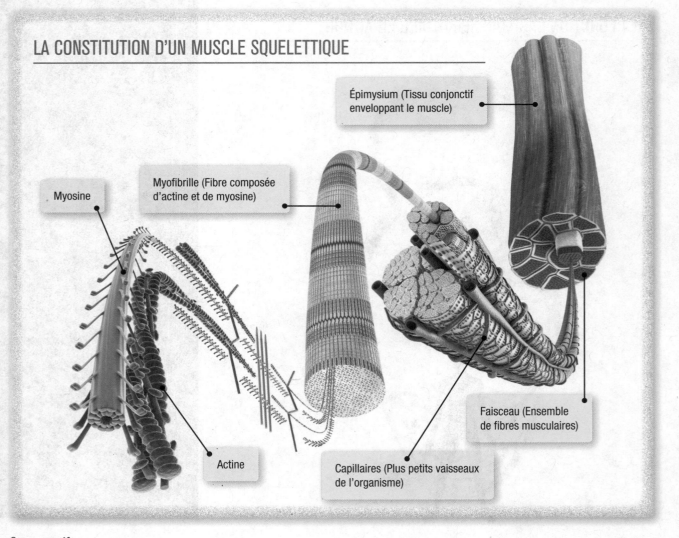

Épimysium (Tissu conjonctif enveloppant le muscle)

Myosine

Myofibrille (Fibre composée d'actine et de myosine)

Actine

Capillaires (Plus petits vaisseaux de l'organisme)

Faisceau (Ensemble de fibres musculaires)

Pour se contracter, le muscle a besoin d'énergie, comme le moteur d'une voiture a besoin de carburant. Une deuxième unité entre alors en action : l'unité énergétique. Au moment où le muscle reçoit l'ordre de se contracter, il mobilise aussitôt les réserves d'énergie disponibles dans les cellules musculaires. Heureusement qu'il en est ainsi, sinon les muscles ne pourraient jamais démarrer au quart de tour. Dans une situation d'urgence, comme éviter un obstacle, on pourrait se blesser si nos muscles réagissaient avec un délai.

Les réserves d'énergie disponibles dans le muscle se présentent sous la forme d'une molécule très riche en énergie qu'on appelle l'*adénosine triphosphate* ou l'ATP. L'ATP elle-même provient de la transformation des nutriments que tu ingères, en particulier des glucides et des lipides. Ces nutriments ne peuvent pas être utilisés directement par les cellules ; ils doivent d'abord être transformés en ATP. C'est un peu comme le pétrole et l'essence. Le pétrole est la ressource énergétique brute que l'on doit transformer en essence par un processus de **raffinage**, avant de pouvoir l'utiliser.

Sans entrer dans le détail des réactions chimiques qui ont cours à ce moment dans les cellules musculaires, disons simplement que l'ATP est la source d'énergie universelle des cellules, c'est-à-dire qu'elle est directement utilisable par les cellules. Aussi, les cellules musculaires renouvellent constamment leurs réserves d'ATP.

> Une deuxième unité entre alors en action : l'unité énergétique

Raffinage

Processus industriel qui permet de traiter une substance de façon à l'épurer et à en obtenir des substances consommables ou utilisables, comme le pétrole transformé en essence.

1.4 Aérobie ou anaérobie ?

Pour que le muscle se mette en action, il faut compter sur l'unité mécanique. Le muscle reçoit des ordres du cerveau, l'unité informatique, qui lui sont acheminés par les terminaisons nerveuses connectées aux fibres musculaires. Puis, l'unité énergétique prend le relais ; en une fraction de seconde, le muscle mobilise les réserves d'ATP dans les cellules, ce qui va lui permettre de se contracter. C'est à ce moment précis que l'unité mécanique entre en scène, grâce à deux protéines spécialisées dans la contraction des muscles, **l'actine** et **la myosine**. Plus l'activité physique dure, plus les influx nerveux envoyés aux muscles sollicités sont nombreux, et plus ces muscles consomment de l'énergie dans le but de maintenir la cadence de leurs contractions.

> **Pour que le muscle se mette en action, il faut compter sur l'unité mécanique**

Les contractions des muscles restent modérées tant que l'effort reste modéré, même s'il se prolonge dans le temps. Le sang continue ainsi à circuler assez librement dans les muscles actifs, assurant :

- ✔ un apport continu aux muscles en oxygène (qui agit dans la chaîne respiratoire pour se combiner avec des ions d'hydrogène et former du H_2O et du CO_2), en glucose et en lipides ;
- ✔ une évacuation aisée des déchets produits par les cellules musculaires au travail, notamment le gaz carbonique.

Pendant un effort modéré, les muscles actifs sont dans des **conditions aérobiques**, c'est-à-dire «en présence d'oxygène». Ils peuvent alors fonctionner longtemps avant que la fatigue n'apparaisse.

Dès que l'activité physique s'intensifie, par exemple lorsque tu cours à grande vitesse depuis un certain temps, les contractions musculaires deviennent vigoureuses et la circulation du sang se fait plus difficilement dans les muscles actifs, comme le montre la figure à gauche. L'oxygène commence à se faire rare dans les muscles, qui se retrouvent rapidement dans des **conditions anaérobiques**, c'est-à-dire «en l'absence d'oxygène». Fatigue musculaire en vue ! En l'absence d'oxygène, les muscles actifs sont incapables d'éliminer les déchets produits par leurs cellules, notamment l'**acide lactique**. C'est la raison pour laquelle tu ne peux pas soutenir un effort intense très longtemps.

Finalement, le corps ne fait que s'adapter à un effort exigeant, imposé par l'activité physique. Cette capacité du corps à s'adapter à un effort physique est ce qu'on appelle la *condition physique*. Le niveau de condition physique varie d'une personne à l'autre, mais tout le monde peut l'améliorer.

> **Cette capacité du corps à s'adapter à un effort physique est ce qu'on appelle la *condition physique***

LA CIRCULATION SANGUINE ET L'ACTIVITÉ MUSCULAIRE

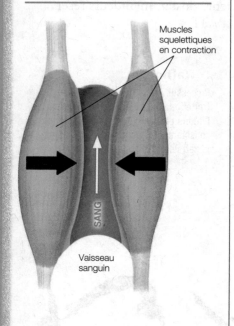

Muscles squelettiques en contraction

SANG

Vaisseau sanguin

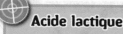
Acide lactique
Acide produit par les cellules musculaires en l'absence d'oxygène.

Fais le Point ✓✓✓

1 Complète les phrases suivantes à l'aide des mots présentés dans l'encadré.

terminaisons nerveuses	oxygène	glucides	aérobiques	influx nerveux
	gaz carbonique	protéines	course	myosine
actine	adénosine triphosphate	cellules musculaires	glucose	
rapide				

Samuel, un élève de 4ᵉ secondaire, participera bientôt à une séance de sélection de l'équipe régionale de soccer. Pour obtenir une place dans l'équipe, il sait qu'il doit améliorer son endurance cardio-vasculaire. Ainsi, depuis quatre semaines, il court cinq kilomètres trois fois par semaine, en visant la diminution de son temps lors de chaque entraînement. Suivons-le dans ses préparatifs.

Trois heures avant l'entraînement, Samuel prend un bon repas riche en _____.

Pendant la digestion, les nutriments sont transformés en _____, transportés

dans le sang vers les muscles, et de nouveau modifiés en _____

_____ dans les _____.

Sur la ligne de départ, son cerveau envoie un _____

en direction des muscles qui doivent se contracter. Cette information circule par le biais

de _____ à une vitesse

excessivement _____. Comme l'éclair, Samuel s'élance sur la piste.

Grâce à deux _____ stockées dans ses muscles (la _____

et l'_____), Samuel maintient la cadence. Après trois kilomètres

de _____, les muscles de Samuel sont toujours en conditions

_____ : l'_____ circule et le _____

_____ est évacué. Quelques kilomètres plus tard, Samuel atteint le fil

d'arrivée, essoufflé mais satisfait de sa performance… pour aujourd'hui.

2 Vrai ou faux ? Coche les cases appropriées.

VRAI FAUX

a) Selon l'OMS, la santé est un état de bien-être physique,
mental et environnemental.

b) Le métabolisme de repos est la dépense énergétique du corps
à l'état de repos.

c) Le corps humain comporte quelque 600 muscles squelettiques.

d) La sueur contient 99,9 % d'eau et un peu de chlorure de sodium.

e) Peu importe le sexe, la taille et le poids d'un individu, le cœur pompe
environ de six à huit litres de sang toutes les cinq minutes, au repos.

f) En conditions anaérobiques, les muscles reçoivent une quantité
importante d'oxygène.

g) L'acide lactique cause la fatigue musculaire.

3 Lequel de ces énoncés est exact ? Encercle la lettre appropriée.

A. Lorsqu'une activité est très intense, il est facile pour l'organisme d'éliminer les déchets
produits par les cellules.

B. Durant l'activité physique, le cœur peut pomper jusqu'à 20 L de sang, qui sera redistribué
vers les viscères.

C. La condition physique est la capacité de l'organisme de s'adapter à un effort physique.

D. Le côté droit du système cardiorespiratoire permet le transport de l'oxygène vers le muscle.

4 Qu'est-ce qu'une myofibrille ? Encercle la lettre appropriée.

A. Une grande quantité de fibres musculaires.

B. L'élément qui constitue la fibre musculaire.

C. La contraction d'une fibre musculaire.

D. Le fait qu'une fibre musculaire s'hypertrophie.

5 Quel organe n'est pas affecté par la redistribution sanguine lors d'une activité physique ?
Encercle la lettre appropriée.

A. Les poumons.   **B.** Le cœur.   **C.** Le muscle.   **D.** Le cerveau.

1.5 Les effets d'une bonne condition physique

On l'a vu, la condition physique est la capacité d'adaptation du corps à un effort physique. Cette capacité est déterminée par la vigueur du cœur ou **endurance cardiovasculaire** (as-tu du souffle ?), la **vigueur des muscles** (as-tu de la force et de l'endurance ?) ainsi que leur degré de **flexibilité** (es-tu souple ?). Quand tu améliores ces déterminants de la condition physique, en particulier l'endurance cardiovasculaire, tu profites des nombreux bienfaits de l'activité physique sur la santé physique et mentale :

- Tu as plus de souffle et d'énergie quand tu fais un effort physique.
- Tu récupères plus vite après un effort physique.
- Tu renforces tes muscles et tes os ; un atout pendant la croissance.
- Tu améliores ton équilibre, ta coordination motrice et ta flexibilité pendant que tu grandis.
- Tu as une meilleure qualité de sommeil.
- Tu préserves ta bonne posture ou tu l'améliores.
- Tu améliores ta concentration en classe et, de ce fait, ton rendement scolaire.
- Tu accrois ta confiance en toi parce qu'on se sent mieux dans sa peau quand on est physiquement actif ou active.
- Tu diminues ton niveau de stress et d'anxiété.
- Tu améliores tes relations avec les autres parce que l'activité physique se pratique souvent en équipe.

Savais-tu que...

Les sports qui sollicitent toujours le même côté du corps (ex. : sports de raquette, balle molle, escrime, golf, etc.) favorisent un développement inégal des os et des muscles. Ainsi, les jeunes qui ne pratiquent que des sports asymétriques, surdéveloppent leur côté droit (dans le cas des droitiers) au détriment de leur côté gauche. À la longue, ils risquent de se retrouver comme l'ex-numéro un mondial de tennis, l'Allemand, Boris Becker. À 13 ans, les muscles et les os de son côté droit étaient 30 % plus développés que ceux de son côté gauche. Ses entraîneurs furent alors obligés de lui prescrire un entraînement spécial visant à rééquilibrer le volume d'exercices entre le côté droit et le côté gauche de son corps. Toutefois, si tu pratiques en alternance un sport asymétrique et un sport ambidextre (ex. : arts martiaux, natation, patinage, ski alpin, soccer, vélo, etc.), tu éviteras le problème de Becker !

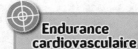

Endurance cardiovasculaire

Capacité du cœur et des poumons de fournir, pendant un certain temps, un effort modéré qui fait travailler, de manière dynamique, l'ensemble des muscles.

Vigueur des muscles

Capacité d'un muscle à être endurant ou fort, ou mieux encore, à être endurant et fort à la fois.

Les muscles travaillent en **endurance** lorsqu'ils répètent, pendant un certain temps, une contraction avec un effort modéré.

Les muscles travaillent en **force** lorsqu'ils développent une forte tension au moment d'une contraction maximale de courte durée.

Flexibilité

Caractère de ce qui se courbe facilement.

Fais le Point

1 Comptabilise le temps que tu passes devant un écran (jeu vidéo, ordinateur et télévision) et celui que tu consacres à l'activité physique au cours d'une semaine normale. Note l'activité pratiquée, la durée et, au besoin, inscris un commentaire.

Jour	Activités devant un écran		Activités physiques		Commentaire
	Activités	Durées	Activités	Durées	
Lundi					
Mardi					
Mercredi					
Jeudi					
Vendredi					
Samedi					
Dimanche					
	Durée totale		Durée totale		

2 À partir des durées totales calculées à la question précédente, calcule le pourcentage du temps que tu alloues à un écran et de celui que tu consacres à l'activité physique. Représente tes résultats à l'aide d'un diagramme circulaire, en n'oubliant pas de compléter la légende.

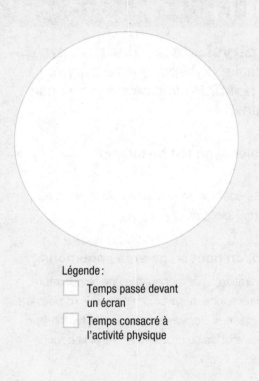

Légende :

☐ Temps passé devant un écran

☐ Temps consacré à l'activité physique

3 Analyse les réponses que tu as données au n° 1. Que constates-tu ? Coche les cases correspondant aux énoncés qui décrivent le mieux ta situation.

☐ Je bouge énormément.

☐ Je bouge beaucoup plus que je ne passe de temps devant un écran.

☐ Je ne bouge pas beaucoup et je suis rarement devant un écran.

☐ Je passe trop de temps devant un écran.

☐ Je pourrais bouger plus.

☐ Le temps que je passe devant un écran est minime.

4 Au cours de la semaine, as-tu manqué des occasions de faire de l'activité physique parce que tu as fait d'autres choix ? Explique ta réponse.

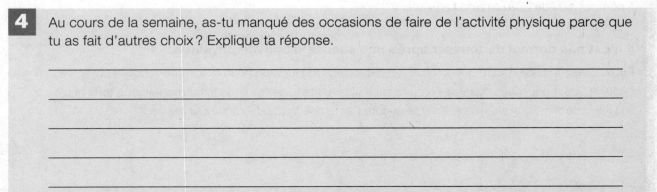

_____

_____

_____

_____

_____

Forum

LÉGENDES URBAINES sur l'activité physique et les poumons

L'activité physique améliore non seulement l'efficacité de la pompe cardiaque, mais aussi celle de la *pompe pulmonaire*. À quel point ? Pour le savoir, passons en revue quatre légendes urbaines sur les poumons.

Comme le cœur, les poumons peuvent s'hypertrophier si on fait beaucoup d'exercices aérobiques.

Faux. Les cœurs entraînés sont plus gros et leur paroi est plus épaisse, mais pas les poumons. Les poumons sont constitués d'un tissu spongieux qui ne s'hypertrophie pas.

Si on fait de l'activité physique par temps très froid, on peut se geler les poumons.

Faux. Même s'il fait – 25 °C, l'air qui pénètre dans les voies respiratoires est réchauffé à une température variant de 26,5 °C à 32,2 °C avant d'atteindre les bronches ! En revanche, respirer de l'air très froid peut irriter la gorge et provoquer la toux. Chez les asthmatiques et les angineux, l'activité physique par temps froid peut déclencher une crise. Pour certaines personnes, il suffira souvent de se protéger le nez et la bouche pour régler le problème.

Les effets bénéfiques de l'activité physique sur les poumons se font surtout sentir lors d'un effort.

Vrai. Il suffit d'un mois de *cardio* pour que tu respires moins vite et plus profondément lors d'un effort modéré. Ce *pouls respiratoire* plus lent a pour effet de garder l'air plus longtemps dans les poumons entre chaque respiration. Le corps peut alors extraire davantage d'oxygène de l'air qu'on inspire, lequel en contient 21 %. Lors d'un effort de même intensité, l'air expiré par une personne en forme contient de 14 % à 15 % d'oxygène, contre 18 % chez une personne sédentaire, qui doit pomper plus d'air pour fournir la même quantité d'oxygène à ses muscles. Bref, elle s'essouffle plus rapidement. À long terme (six mois et plus), l'activité physique entraîne une augmentation du nombre de respirations à la minute lors d'un effort maximal : de 35 à 45 respirations chez une personne sédentaire, contre 60 à 70 chez une personne en forme. Cette hausse permet à ces personnes actives de pomper 150 L d'air et plus, à la minute, alors que la moyenne est de 100 L chez les sédentaires. Certains athlètes arrivent même à pomper plus de 200 L d'air à la minute.

Il n'est pas normal de tousser après une séance d'activité physique.

Faux. C'est en fait assez fréquent. Nous respirons plus fort lorsque nous faisons de l'activité physique. Résultat : les muqueuses des voies respiratoires s'assèchent, ce qui nous fait tousser. Cette toux qui suit l'activité physique est plus fréquente encore par temps froid ou lorsque l'air est sec.

BiLan DE TA CONDITION PHYSIQUE ☑ ☑ ☑

❶ Évalue ta condition physique.

⚠ As-tu une contre-indication médicale pour le test d'endurance (ex. : problèmes cardiaques, asthme sévère, étourdissements, handicap physique au niveau des membres inférieurs, diabète, etc) ? Si oui, laquelle ?

_____

_____

(preuve médicale requise)

Connais-tu ton niveau de condition physique ? Pour le savoir, il n'y a qu'une façon : l'évaluer à l'aide de tests dont les résultats te permettront de te situer par rapport aux personnes du même sexe et du même groupe d'âge que toi. Comme tu dois concevoir et appliquer un plan d'action visant l'adoption d'un mode de vie sain et actif au cours de l'année, il est pertinent d'évaluer l'évolution du niveau de ta condition physique dans l'application de ce plan.

Idéalement, cette évaluation devrait se faire :

1. Au début de la mise en route de ton plan d'action.
2. Après quelques semaines de la mise en route de ton plan d'action.
3. La dernière semaine de ton plan d'action.

Ton enseignant ou ton enseignante en éducation physique et à la santé te précisera le moment où ces évaluations se tiendront.

Voici ta fiche de condition physique.

Ton poids : _____ kg　　　　　Ta taille : _____ cm

Ton âge : _____ ans　　　　　Garçon ☐　　　Fille ☐

Pour procéder à l'évaluation de ta condition physique, on te propose cinq tests. Chacun de ces tests a été conçu dans le but d'évaluer un des déterminants de la condition physique. Ainsi, tu devras d'abord te soumettre à un test d'endurance cardiovasculaire. Tu devras également effectuer deux tests pour déterminer la vigueur de tes muscles abdominaux et celle des muscles de tes bras et du haut de ton corps. Finalement, deux autres tests établiront la flexibilité de ton tronc en position assise, puis celle de tes épaules.

Pour chaque test que tu dois effectuer, on t'indique le matériel requis, la procédure à suivre et les consignes particulières à respecter, le cas échéant. De plus, tu trouveras pour chacun des tests le tableau des normes établies pour les jeunes de ton âge, à partir duquel tu pourras te situer. On te fournit également une fiche d'enregistrement de tes résultats. Tu pourras ainsi constater l'amélioration de ta condition physique au fil de l'application de ton plan d'action.

A Évalue ton endurance cardiovasculaire.

Il existe plusieurs tests pour évaluer ce déterminant important de la condition physique. Nous t'en présentons deux : le test des 12 minutes et le test navette. Ton enseignant ou ton enseignante te précisera celui que tu passeras. Il pourrait s'agir aussi d'un tout autre test, qui n'est pas décrit ici.

Le test des 12 minutes

CE QU'IL FAUT

- Un chronomètre ou une montre.
- Un parcours plat dont la longueur, en mètres, est connue (ex. : piste d'athlétisme, périmètre d'un gymnase, terrain de football ou tout autre circuit dont on a préalablement mesuré la longueur).

CE QUE TU DOIS FAIRE

- Bien t'hydrater avant le test en prenant de petites quantités d'eau au moins 20 minutes avant de débuter l'activité.
- Parcourir en joggant (ou en marchant de temps à autre si tu ne peux pas garder le rythme du jogging tout au long du parcours) la plus grande distance possible en 12 minutes.

LES CONSIGNES À RESPECTER

- Arrêter le test si :
  - Tu te sens étourdi ou étourdie.
  - Tu es très essoufflé ou très essoufflée.
  - Tu ressens un malaise inhabituel.

> **Idéalement, afin de trouver le bon rythme de course et de te familiariser avec la distance que tu peux parcourir en 12 minutes, tu devrais d'abord faire un essai témoin quelques jours avant le vrai test.**

CE QU'IL NE FAUT PAS FAIRE

- Boire une grande quantité d'eau juste avant le test.
- Prendre un gros repas moins de 90 minutes avant le test.
- Partir trop rapidement.
- Changer de rythme trop souvent : il faut essayer de garder une vitesse constante pendant les 12 minutes.
- Arrêter trop rapidement à la fin du test : il faut, au contraire, marcher lentement pendant une ou deux minutes.

plan d'action p. 110

TON RÉSULTAT

Une fois le test terminé, consulte le tableau ci-dessous pour déterminer ton niveau d'endurance cardiovasculaire en fonction de la distance parcourue. Indique ensuite ton résultat dans l'espace prévu plus bas, puis reporte-le dans ton plan d'action.

Sexe et âge	Endurance cardiovasculaire			
	Très élevée	Élevée	Moyenne	Sous la moyenne
Garçons 15-16 ans	> 2800 m	2500 m - 2800 m	2300 m - 2499 m	2200 m - 2299 m
Filles 15-16 ans	> 2100 m	2000 m - 2100 m	1700 m - 1999 m	1600 m - 1699 m

Source : K. H. COOPER, *The Aerobics Program for Total Well-being : Exercise, Diet, Emotional Balance*, New York, Bantam Books, 1985.

Date du test 1
(année, mois et jour) :

20_____ / _____ / _____

Ton résultat : _____

Ton niveau d'endurance :

Date du test 2
(année, mois et jour) :

20_____ / _____ / _____

Ton résultat : _____

Ton niveau d'endurance :

Date du test 3
(année, mois et jour) :

20_____ / _____ / _____

Ton résultat : _____

Ton niveau d'endurance :

Le test navette

CE QU'IL FAUT

- Système audio et extrait sonore pré-enregistré du test qui émet un bip déterminant la vitesse de la course.
- Deux lignes parallèles bien visibles et espacées de 20 mètres dans le gymnase.

CE QUE TU DOIS FAIRE

- Après une période d'échauffement, courir le plus longtemps possible en faisant des allers-retours entre les deux lignes. La vitesse, annoncée par le bip, augmente de 0,5 km/h toutes les minutes (une minute correspond à un palier), ce qui t'oblige à augmenter ta vitesse de course. Le test prend fin quand tu n'es plus capable de terminer le palier en cours ou de suivre le rythme imposé par les bips (retard de une à deux minutes que tu ne peux pas rattraper).

LES CONSIGNES À RESPECTER

- Arrêter le test si :
  - Tu te sens étourdi ou étourdie.
  - Tu es très essoufflé ou très essoufflée.
  - Tu ressens un malaise inhabituel.

CE QU'IL NE FAUT PAS FAIRE

- Boire une grande quantité d'eau juste avant le test.
- Prendre un gros repas moins de 90 minutes avant le test.
- Arrêter trop rapidement à la fin du test : il faut, au contraire, marcher lentement pendant une ou deux minutes.

TON RÉSULTAT

- Une fois le test terminé, consulte le tableau ci-dessous pour déterminer ton niveau d'endurance cardiovasculaire en fonction du dernier palier atteint. Indique ensuite ton résultat dans l'espace prévu plus bas, puis reporte-le dans ton plan d'action.

plan d'action p. 110

Endurance cardiovasculaire			
Garçons	**13-14 ans**	**15-16 ans**	**17-18 ans**
Très élevée	9 et plus*	10 et plus	11 et plus
Élevée	7,5-8,5	8,5-9,5	9,5-10,5
Moyenne	6-7	7-8	8-9
Sous la moyenne	5,5 et moins	6,5 et moins	7,5 et moins
Filles	**13-14 ans**	**15-16 ans**	**17-18 ans**
Très élevée	6,5 et plus	6,5 et plus	7 et plus
Élevée	5-6	5-6	5,5-6,5
Moyenne	4-4,5	4-4,5	4,5-5
Sous la moyenne	3,5 et moins	3,5 et moins	4 et moins

* Dernier palier atteint.

Source : Adapté de O. T. TOMKINSON, G. LEGER, L. G. CAZORLA, « Worldwide Variation in the Performance of Children and Adolescents : An Analysis of 109 Studies of the 20-m Shuttle Run Test in 37 Countries », *J Sports Sci*, 2006, 24(10) : 1025 – 1038.

Date du test 1
(année, mois et jour) :

20_____/_____/_____

Ton résultat : _____

Ton niveau d'endurance :

_____

Date du test 2
(année, mois et jour) :

20_____/_____/_____

Ton résultat : _____

Ton niveau d'endurance :

_____

Date du test 3
(année, mois et jour) :

20_____/_____/_____

Ton résultat : _____

Ton niveau d'endurance :

_____

B Évalue la vigueur de tes muscles abdominaux.

CE QU'IL FAUT

- Un tapis d'exercice au sol.
- Un chronomètre ou une montre.

CE QUE TU DOIS FAIRE

- Exécuter en une minute le plus grand nombre de demi-redressements assis en suivant les directives ci-dessous, les pieds non tenus. Pour effectuer ce test :
  - Allonge-toi sur le dos, les bras le long du corps en déposant tes mains sur tes cuisses, les genoux pliés suffisamment pour avoir les pieds à plat au sol.
  - Pointe le menton vers la poitrine.

- Contracte tes abdominaux afin que le bas de ton dos colle au sol pendant le test, un peu comme si tu voulais créer une empreinte.
- Redresse le tronc en faisant glisser les mains jusqu'aux genoux de façon que tes omoplates décollent du sol. Il est très important d'expirer pendant le lever du tronc.

- Reviens au sol, puis répète le mouvement.
- Tu peux ralentir la cadence ou t'arrêter quelques secondes si ton corps te le demande. Lorsque tu n'arrives plus à décoller complètement les omoplates du sol, le test est terminé.

TON RÉSULTAT

Une fois le test terminé, consulte le tableau ci-dessous pour déterminer la vigueur de tes muscles en fonction du nombre de demi-redressements effectués. Indique ensuite ton résultat dans l'espace prévu plus bas. Le cas échéant, prends-le en considération dans l'élaboration de ton plan d'action.

plan d'action p. 112

Vigueur des abdominaux				
Garçons	**14 ans**	**15 ans**	**16 ans**	**17 ans**
Très élevée	62	75	73	66
Élevée	54	67	50	58
Moyenne	40	45	37	42
Sous la moyenne	24	26	24	25
Filles	**14 ans**	**15 ans**	**16 ans**	**17 ans**
Très élevée	48	38	49	68
Élevée	41	35	35	49
Moyenne	30	26	26	40
Sous la moyenne	20	15	16	26

Source : Normes provenant du programme *Élèves en forme,* Association régionale du sport étudiant de Québec et Chaudière-Appalaches.

Date du test 1
(année, mois et jour) :
20_____ / _____ / _____

Ton résultat : _____

Ta vigueur musculaire :
_____

Date du test 2
(année, mois et jour) :
20_____ / _____ / _____

Ton résultat : _____

Ta vigueur musculaire :
_____

Date du test 3
(année, mois et jour) :
20_____ / _____ / _____

Ton résultat : _____

Ta vigueur musculaire :
_____

C Évalue la vigueur des muscles de tes bras et du haut de ton corps.

CE QU'IL FAUT

- Un tapis d'exercice au sol.
- Un chronomètre ou une montre.

CE QUE TU DOIS FAIRE

- Exécuter, sans limite de temps, le plus grand nombre de tractions (*push-ups*), c'est-à-dire des flexions et extensions complètes des bras avec le corps allongé. Le test prend fin quand tu n'es plus capable d'exécuter une traction complète sans que ton dos ne se courbe vers le sol.

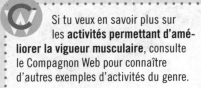 Si tu veux en savoir plus sur les **activités permettant d'améliorer la vigueur musculaire**, consulte le Compagnon Web pour connaître d'autres exemples d'activités du genre.

TON RÉSULTAT

Une fois le test terminé, consulte le tableau ci-dessous pour déterminer la vigueur de tes muscles en fonction du nombre de tractions complétées. Indique ensuite ton résultat dans l'espace prévu plus bas. Le cas échéant, prends-le en considération dans l'élaboration de ton plan d'action.

plan d'action p. 112

Vigueur des bras et du haut du corps				
Garçons	**14 ans**	**15 ans**	**16 ans**	**17 ans**
Très élevée	40	42	44	53
Élevée	32	37	40	46
Moyenne	24	30	30	37
Sous la moyenne	13	20	22	23
Filles	**14 ans**	**15 ans**	**16 ans**	**17 ans**
Très élevée	20	20	24	25
Élevée	16	20	20	20
Moyenne	10	15	12	16
Sous la moyenne	3	7	4	7

Source : Normes provenant du programme *Élèves en forme*, Association régionale du sport étudiant de Québec et Chaudière-Appalaches.

Date du test 1
(année, mois et jour) :

20_____ / _____ / _____

Ton résultat : _____

Ta vigueur musculaire :

_____

Date du test 2
(année, mois et jour) :

20_____ / _____ / _____

Ton résultat : _____

Ta vigueur musculaire :

_____

Date du test 3
(année, mois et jour) :

20_____ / _____ / _____

Ton résultat : _____

Ta vigueur musculaire :

_____

D Évalue la flexibilité de ton tronc en position assise.

CE QU'IL FAUT

- Un mur ou un meuble solide sur lequel tu peux appuyer tes pieds.

CE QUE TU DOIS FAIRE

- Te mettre en position assise avec les jambes tendues, et les pieds espacés de 25 cm à 30 cm, appuyés contre un mur (ou un meuble).
- Pencher le tronc lentement vers l'avant, sans plier les genoux.

- Si tu ne peux pas atteindre le mur du bout des doigts, c'est que tes mollets et tes muscles ischio-jambiers (situés à l'arrière des cuisses) sont plutôt raides.
- Si tu touches le mur du bout des doigts ou, mieux, avec les poings, alors Bravo ! Cela signifie que ton tronc est flexible quand tu te penches vers l'avant.

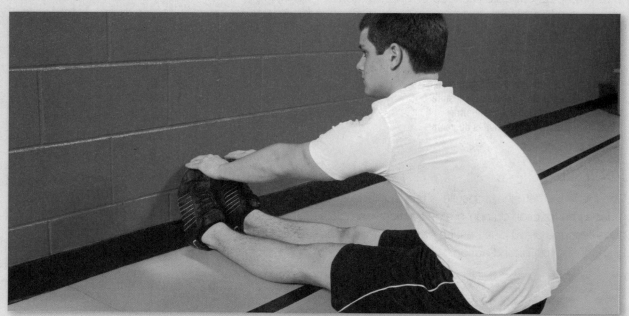

TON RÉSULTAT

Une fois le test terminé, consulte le tableau ci-contre pour déterminer la flexibilité de tes muscles en fonction de la position atteinte. Indique ensuite ton résultat dans l'espace prévu plus bas. Le cas échéant, prends-le en considération dans l'élaboration de ton plan d'action.

plan d'action p. 112

Position atteinte	Flexibilité
Les paumes des mains touchent le mur.	Très élevée
Les poings touchent le mur.	Élevée
Les bouts des doigts touchent le mur.	Moyenne
Les bouts des doigts ne touchent pas le mur.	Sous la moyenne

Date du test 1
(année, mois et jour) :
20_____ / _____ / _____

Ton résultat : _____

Ta flexibilité musculaire :
_____

Date du test 2
(année, mois et jour) :
20_____ / _____ / _____

Ton résultat : _____

Ta flexibilité musculaire :
_____

Date du test 3
(année, mois et jour) :
20_____ / _____ / _____

Ton résultat : _____

Ta flexibilité musculaire :
_____

E Évalue la flexibilité de tes épaules.

CE QU'IL FAUT

- Un bâton.

CE QUE TU DOIS FAIRE

- Te coucher sur le ventre, menton collé au sol, bras allongés devant toi, mains écartées à la largeur des épaules.

- Prendre le bâton et, **sans fléchir les poignets ou les coudes, ni décoller le menton du sol** (position de départ), lever le bâton le plus haut possible (position du test). Un ou une partenaire peut évaluer la hauteur à laquelle tu lèves le bâton.

TON RÉSULTAT

Une fois le test terminé, consulte le tableau ci-contre pour déterminer la flexibilité de tes muscles en fonction de la position atteinte. Indique ensuite ton résultat dans l'espace prévu plus bas. Le cas échéant, prends-le en considération dans l'élaboration de ton plan d'action.

plan d'action p. 112

Position atteinte	Flexibilité
Bâton levé nettement au-dessus de la tête.	Très élevée
Bâton levé juste au-dessus de la tête.	Élevée
Bâton levé au niveau de la tête.	Moyenne
Bâton levé à peine au-dessus du sol.	Sous la moyenne

 Si tu veux en savoir plus sur les **exercices à éviter**, consulte le Compagnon Web où des exemples te sont donnés.

Date du test 1
(année, mois et jour):
20_____/_____/_____

Ton résultat: _____

Ta flexibilité musculaire:
_____

Date du test 2
(année, mois et jour):
20_____/_____/_____

Ton résultat: _____

Ta flexibilité musculaire:
_____

Date du test 3
(année, mois et jour):
20_____/_____/_____

Ton résultat: _____

Ta flexibilité musculaire:
_____

Fais le bilan de ta condition physique actuelle.

À la suite de la première évaluation de ta condition physique, indique par un ✔ tes points forts et tes points faibles.

N'oublie pas de reporter ton niveau d'endurance cardiovasculaire à la première étape de ton plan d'action.

plan d'action p. 110

	Endurance cardiovasculaire	Vigueur des abdominaux	Vigueur des bras et du haut du corps	Flexibilité du tronc	Flexibilité des épaules
Points forts					
Points faibles					

RELÈVE DE NOUVEAUX DÉFIS

Maintenant que tu connais tes points faibles, que dirais-tu de relever de nouveaux défis ? Commençons par le déterminant le plus important : l'endurance cardiovasculaire.

♥ SI TU VEUX AMÉLIORER TON ENDURANCE CARDIOVASCULAIRE, TU DOIS...

- Choisir une ou plusieurs activités aérobiques, c'est-à-dire qui activent de façon modérée les grands muscles des cuisses et du bassin (ex. : marche rapide, course à pied, ski de fond, patin à roues alignées, raquette à neige, vélo, natation, etc.).
- Pratiquer ces activités à une intensité modérée pendant un minimum de 20 minutes consécutives, au moins 3 fois par semaine.
- T'assurer que l'intensité de l'activité aérobique est au moins modérée en vérifiant de temps en temps ta fréquence cardiaque à l'effort. Pour déterminer ta zone d'entraînement aérobique, consulte l'encadré à la page 39.

♥ SI TU VEUX AMÉLIORER TA VIGUEUR MUSCULAIRE, TU DOIS...

- Choisir un exercice qui sollicite la région musculaire dont tu souhaites améliorer la vigueur. Par exemple, si tu te situes sous la moyenne en ce qui a trait à la vigueur des muscles abdominaux, tu peux reprendre l'exercice proposé comme test de vigueur des muscles abdominaux (demi-redressements assis) pour entraîner et renforcer tes abdominaux.
- Répéter cet exercice pendant une minute, au moins trois fois par semaine.

♥ SI TU VEUX AMÉLIORER TA FLEXIBILITÉ, TU DOIS...

- Choisir un ou plusieurs exercices d'étirement.
- Maintenir la position d'étirement pendant un minimum de 20 secondes, faire une pause, puis recommencer l'exercice une seconde fois, au moins 3 fois par semaine (idéalement tous les jours).

1.6 Des principes à respecter pour améliorer ta condition physique

Les principes de l'entraînement physique t'aideront à atteindre ton ou tes objectifs de mise en forme en adoptant une pratique efficace et sécuritaire de l'activité physique.

Principe n° 1 : La spécificité

L'adaptation du corps à une activité physique est spécifique à cette activité. Par exemple, si tu veux améliorer ta capacité à faire des longueurs de piscine, tu dois nager, et non patiner ! Si tu veux renforcer les muscles de tes bras, le patin à roues alignées est inutile ; tu dois plutôt soulever des poids. L'application du principe de la spécificité implique que tu choisisses une activité physique qui te permettra d'atteindre ton objectif. Par exemple, si tu veux augmenter ton niveau d'endurance cardiovasculaire parce que, selon le test que tu as passé, il est sous la moyenne, tu dois opter pour des activités qui améliorent cet aspect de la condition physique, c'est-à-dire des activités de type aérobique (ex. : jogging, marche sportive, ski de fond, soccer, etc.). Il en va de même si tu veux améliorer la vigueur de tes muscles. Tu choisiras, par exemple, de suivre un programme de musculation approprié. Et si tu veux améliorer ta flexibilité, tu devras choisir des exercices d'étirement. Mais qu'importe le ou les déterminants de la condition physique que tu veux améliorer, choisis des activités physiques qui collent à tes goûts, car sans une bonne dose de plaisir, l'entraînement ne dure jamais longtemps...

Principe n° 2 : La surcharge

Pour améliorer ta condition physique, tu dois faire plus d'activités physiques qu'à l'habitude. Ce faisant, tu appliques le principe de surcharge. Par exemple, si tu veux améliorer ton endurance cardiovasculaire, tu dois non seulement choisir une activité appropriée (principe de spécificité), mais en faire suffisamment pour que ce déterminant de ta condition physique s'améliore (principe de surcharge). Concrètement, l'application du principe de surcharge t'amène à préciser la durée, l'intensité et la fréquence de la pratique de l'activité choisie.

Principe nº 3 : La progression

Quel que soit le type de surcharge que tu appliques dans le cadre de ton programme de mise en forme, celle-ci ne doit pas être trop prononcée au départ. Autrement, tu risques de surmener tes muscles ou ton cœur, et de te… décourager, voire te blesser !

Par exemple, tu peux commencer en faisant seulement 10 minutes de jogging au lieu des 20 minutes prescrites par les experts. Petit à petit, tu passes à 12 minutes, puis à 15 et, finalement, à 20 minutes

de jogging. C'est ce qu'on appelle le *principe de progression*. Il demeure que, après un certain temps, la surcharge de départ, par exemple, 20 minutes de jogging d'intensité modérée, devient trop peu exigeante. C'est la preuve tangible que ta condition physique s'améliore. Pour poursuivre sur cette lancée, tu dois ajuster **régulièrement** la surcharge, en l'augmentant **progressivement**. Tu passes ainsi à 25 minutes de jogging, par exemple, ou tu restes à 20 minutes, mais en joggant un peu plus rapidement. Cet ajustement est essentiel pour préserver l'efficacité de la surcharge. Une fois l'objectif atteint, tu peux te contenter d'une surcharge de maintien, comme tu vas le voir.

À LA UNE !

La durée minimale de l'activité physique à une intensité modérée à élevée	
Mode continu	Mode effort-récupération
30 à 45 minutes	60 minutes divisées en bloc de 10 minutes
DE 3 À 5 FOIS PAR SEMAINE	CHAQUE JOUR

Principe nº 4 : Le maintien et la réversibilité

Ce principe est plutôt séduisant : il te permet d'en faire moins tout en maintenant tes acquis. Mais attention ! tu peux réduire la fréquence et la durée de l'effort, mais pas son intensité. Supposons que tu as atteint le niveau d'endurance cardiovasculaire souhaité, après 10 semaines de jogging, à raison de 3 séances de 20 minutes par semaine. Si tu veux conserver ce rythme, tu peux, par exemple, réduire ton volume total d'activité physique à 2 séances de 15 minutes par semaine, à la condition de maintenir la même intensité, soit dans ce cas-ci, la

même vitesse de jogging. Dans le cas d'un programme visant l'amélioration de la vigueur musculaire, tu peux réduire le nombre et la durée des séances d'activité physique, ainsi que le nombre de séries (blocs de répétitions), mais pas le nombre de répétitions ni la charge à soulever. Quant à la flexibilité, tu peux la conserver même en réduisant les séances d'étirements à une seule par semaine, pourvu que la durée des exercices d'étirement (au moins 20 secondes chacun) reste la même.

Principe nº 5 : L'individualité

Le principe de l'individualité est simple : la réponse du corps à l'activité physique varie selon les individus et dépend de facteurs comme l'hérédité, l'alimentation, la motivation, le mode de vie et l'influence de l'environnement. Le même programme de mise en forme, suivi par un groupe de personnes du même sexe et du même âge, produira chez elles des effets semblables, mais la courbe d'amélioration variera d'une personne à l'autre. C'est un principe à ne pas oublier si tu tiens à te comparer aux autres !

En appliquant ces principes d'entraînement, tu t'assures de ne pas rater ton coup si tu veux améliorer ta condition physique !

 Pour **déterminer rapidement ta fréquence cardiaque cible (FCC)**, tu peux utiliser le tableau qui suit ou le calculateur de FCC sur le Compagnon Web.

Comment déterminer ta zone d'entraînement aérobique

La détermination de ta zone d'entraînement aérobique se fait en deux étapes :

❶ Calcule ta fréquence cardiaque cible (FCC). La formule du calcul de la fréquence cardiaque cible (FCC) est la suivante : 220 – ton âge.

❷ Détermine la fourchette des fréquences cardiaques cibles minimale et maximale correspondant au niveau d'intensité aérobique que tu veux atteindre dans ton entraînement.

Les experts recommandent de maintenir le rythme cardiaque à l'effort à l'intérieur d'une fourchette s'étendant de 60 % à 90 % de la fréquence cardiaque cible, ce qui équivaut grosso modo à 50 % et à 80 %, respectivement, de la consommation maximale d'oxygène.

- Si tu n'es pas du tout en forme physiquement, détermine ta zone d'entraînement aérobique en utilisant une fourchette allant de 65 % à 75 % de ta fréquence cardiaque cible.

- Si tu es moyennement en forme, utilise une fourchette s'étendant de 75 % à 85 % de ta FCC.

- Si tu es en bonne forme physique, ta zone d'entraînement aérobique s'établira sur la base d'une fourchette allant de 85 % à 90 % de ta FCC.

Prenons, par exemple, le cas de Vincent, qui a 15 ans, et dont le test navette a révélé que son endurance cardiovasculaire était moyenne. Pour déterminer la zone d'entraînement aérobique appropriée à sa condition physique, Vincent devra utiliser une fourchette s'étendant de 75 % à 85 % de sa fréquence cardiaque cible.

Voici ses calculs :

Fréquence cardiaque cible (FCC) de Vincent : 220 − 15 = 205

FCC minimale : 205 × 75 % = 154 battements/min

FCC maximale : 205 × 85 % = 174 battements/min

Ceci signifie que, pendant son entraînement aérobique, Vincent devra maintenir un rythme cardiaque se situant entre 154 et 174 battements à la minute.

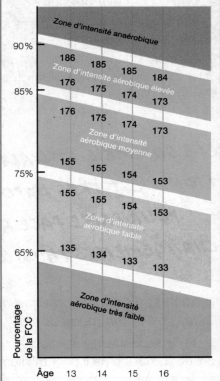

La fréquence cardiaque cible en fonction de l'âge et de la condition physique (méthode du pourcentage de la fréquence cardiaque cible)

Source : Adapté de Richard CHEVALIER, *À vos marques, prêts, santé !*, 4e édition, ERPI, 2006, page 271.

À L'AFFICHE !

DAVID RHÉAUME, adepte du conditionnement physique

David étudie au cégep en sciences humaines et il fait du conditionnement physique depuis la 3e secondaire.

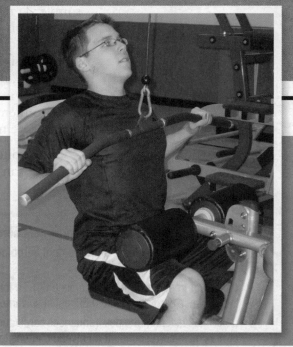

Sains et actifs : *Quelle activité physique pratiques-tu de façon régulière ?*

D.R. : Le conditionnement physique, c'est-à-dire les poids et haltères de façon intense, depuis deux ans.

Sains et actifs *Qu'est-ce qui te fait tant aimer le conditionnement physique ?*

D.R. : Ça permet de sortir de mon petit monde. Par exemple, si tu es stressé pour un examen, quand tu es au gym, tu penses juste à t'entraîner et à obtenir tes résultats d'haltérophilie.

« LE SOMMEIL ET L'ALIMENTATION, C'EST TRÈS IMPORTANT POUR FAIRE FACE AUX CHANGEMENTS PHYSIQUES »

Sains et actifs : *En quoi la pratique de ton sport influence-t-elle ton mode de vie ?*

D.R. : En 3e secondaire, j'étais curieux et je suis allé au centre d'entraînement pour m'informer. Je me suis inscrit, mais mon mode de vie n'a pas changé. En 4e secondaire, c'était à peu près la même chose, sauf que je commençais à prendre conscience que je devais changer mon mode de vie. C'est en 5e secondaire que j'ai vraiment changé parce que je voyais que j'obtenais plus de résultats, et je me disais : «Il n'y a pas juste l'entraînement.

Il faut aussi que j'aie une bonne alimentation. Il faudrait en plus que j'aie plus de sommeil. » Le sommeil et l'alimentation, c'est très important pour faire face aux changements physiques. C'est à ce moment que j'ai arrêté de consommer des boissons gazeuses et que j'ai commencé à moins manger de *chips* et autres gâteries du vendredi et du samedi soir. Quand mes amis organisaient des partys, je ne prenais plus d'alcool. Je voyais les résultats et ça m'encourageait.

Sains et actifs : *Dans ta vie, quelle place occupe la discipline ?*

D.R. : Je base presque tout sur mon entraînement. Je planifie toujours mes entraînements. Lorsque le repas est servi, je ne pense pas : «Ah ! Je vais me gâter un peu !» Je pense plutôt, parce que je me suis entraîné : «Est-ce que je devrais ?» Mon entraînement passe en premier, tout le temps. Je pense que si j'abuse ou que je me laisse aller, ça aura un impact sur mon entraînement.

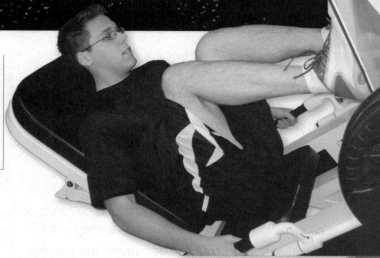

La semaine, je m'entraîne surtout le soir après mes devoirs. Comme ça, je sais que lorsque j'irai m'entraîner, je vais avoir l'esprit libre. Je m'arrange pour tout faire avant et je finis par l'entraînement. Comme ça, c'est un moyen de détente.

Sains et actifs : *Quelle est ton opinion sur les substances nuisibles ?*

D.R. : Les gens qui prennent des substances, n'ont peut-être pas goûté à ce que c'est que d'avoir une vie saine, sinon ils verraient le résultat et changeraient leurs comportements. Le remède serait de suivre un programme d'entraînement intense. Peut-être, qu'ils comprendraient et changeraient leurs habitudes de vie. J'en connais plusieurs à qui c'est arrivé. Plus tu progresses, plus tu veux changer tes mauvaises habitudes de vie.

> **« PLUS TU PROGRESSES, PLUS TU VEUX CHANGER TES MAUVAISES HABITUDES DE VIE »**

Sains et actifs : *Quel plan d'action t'es-tu donné pour t'aider et t'améliorer ?*

D.R. : En partant, ma faiblesse, c'est le cardiovasculaire. Je faisais de l'asthme quand j'étais petit et j'ai encore une pompe. Je trouve ça dur de progresser là-dedans, mais j'essaie quand même. Dans mon cours de conditionnement physique à l'école, c'est 20 minutes sans arrêt, à part pour prendre ta fréquence cardiaque. Quand même, je m'y donne à fond. Je veux réaliser des progrès.

> **« MON ENTRAÎNEMENT PASSE EN PREMIER, TOUT LE TEMPS »**

Ma force, c'est vraiment les poids et haltères parce que c'est ça que j'aime le plus. Mon entraîneur m'a montré les bons mouvements et je sais que je les réussis. Ce que j'aimerais corriger, ce n'est pas au niveau de tel muscle ou tel mouvement. Ce serait plus au niveau de mon physique. En ce moment, je travaille mon hypertrophie et le découpage musculaire. C'est ça que je veux corriger. En 5e secondaire, je travaillais plus la force. Cet été, j'ai perdu du poids et, là, je veux développer mon découpage musculaire pour avoir plus de définition.

Sains et actifs : *Crois-tu que ton mode de vie actuel aura une influence sur tes projets d'avenir ?*

D.R. : C'est sûr et certain que je vais continuer toute ma vie. Plus je vois les progrès, plus je fais des progrès. Je recherche toujours plus et je me vois à 30 ans. Quand je vais au gym, je vois des gens plus âgés que moi et je me dis qu'ils sont bien solides. Je veux y aller encore à cet âge-là. Plus tard, même si j'ai un emploi bien chargé, je vais essayer de trouver le temps de m'entraîner. Ça fera partie de ma vie, tout comme l'alimentation.

Sains et actifs : *Qu'est-ce que la pratique de ton sport t'a permis de découvrir et de comprendre sur toi ?*

D.R. : Mon sport m'a fait découvrir une passion pour l'entraînement. J'aimerais devenir professeur en entraînement ou entraîneur privé. Avant je me moquais de ce que la malbouffe pouvait faire sur moi, j'étais inconscient de ses effets. Mais, je me suis rendu compte que l'alimentation a un impact important même si on est jeune, comme le fait de ne pas s'entraîner, d'avoir une vie sédentaire. Ça paraît vite. J'ai des amis qui ne s'entraînent pas du tout et qui ont les cinq pires habitudes de vie qu'on peut avoir. Ils se disent : «Je suis jeune encore, ça peut changer.» Moi, je leur réponds : «Plus tôt on change, mieux c'est.»

Je dirais que ce n'est pas le sport, mais la modification de mon alimentation qui a tout changé. Je sais maintenant ce qui est mauvais et ce qui est bon.

Sains et actifs : *Crois-tu que la société doit encourager l'adoption d'un mode de vie sain et actif ?*

D.R. : C'est sûr et certain. Tout le monde se rendrait compte que la malbouffe et la vie sédentaire nuisent à la santé. Si le monde voulait changer, il y aurait bien moins de maladies comme le diabète ou les maladies cardiaques. Si les gens se rendaient compte qu'ils peuvent en diminuer le risque, c'est certain qu'ils persévéreraient.

« PLUS TÔT ON CHANGE, MIEUX C'EST »

Sains et actifs : *Peux-tu me décrire comment les autres (ex. : ton meilleur ami, ton entraîneur) te perçoivent ?*

D.R. : Comme une personne qui se respecte, qui respecte son alimentation et son corps à cause de l'entraînement. Des fois, mes amis m'offrent des choses qui ne sont pas bonnes pour la santé. Ils me testent. Je les refuse et ils me disent : «T'es bon !» Un de mes amis essaie de changer son alimentation et je sais que j'ai une bonne influence sur lui. Des fois, je suis un modèle pour mes amis. Un autre de mes amis a commencé à s'entraîner. Je lui donne des conseils sur la façon de faire les exercices et je le corrige. Mon entraîneur a souvent corrigé mes exercices. Ça me permet d'aider les autres à mon tour. Je suis un peu une source d'information pour mes amis grâce à mon expérience.

Sains et actifs : *Qu'est-ce qui est le plus important pour toi dans la vie ?*

D.R. : La santé, parce que ça va supprimer tous les risques, par exemple, de maladies cardiaques, de malnutrition ou les effets néfastes d'une vie sédentaire. Les chances d'attraper ces maladies diminuent si tu as une bonne santé. Si tu as une bonne alimentation, une bonne santé et une bonne forme physique, tu n'auras pas de regret parce que tu te diras : « J'ai tout fait pour être en forme ! »

Il ne faut jamais se décourager non plus. Si tu t'entraînes comme il faut et que tu as une bonne alimentation, tu vas voir des progrès. Si ça ne change pas, consulte quelqu'un, un entraîneur qui s'y connaît aussi en nutrition, et demande-lui de t'indiquer le problème. Demande-toi pourquoi tu ne fais pas de progrès. Peut-être que tu ne fais pas les exercices comme il le faut. Fais juste essayer de modifier ton alimentation, ça va complètement changer ta vie et te permettre de vivre une vie saine et active.

Sains et actifs : *Qu'est-ce qui pourrait motiver les jeunes de ton âge à avoir un mode de vie sain et actif ?*

D.R. : Les jeunes doivent voir la progression, je pense. Quand ils s'entraînent et qu'ils ne voient pas de progression, c'est sûr que ça les décourage. Aussitôt que la personne voit une progression, ça la motive à s'entraîner plus souvent. Pour être en bonne santé, ça se fait progressivement, par étape. Il y en a beaucoup qui ne veulent pas supprimer les boissons gazeuses. Mais, s'ils le faisaient, juste pour le *fun*, ils verraient vite un changement de leur peau. Je n'ai plus de boutons dans le visage depuis que je n'en bois plus. S'ils voyaient ce changement, juste ça, ça pourrait les aider à continuer d'améliorer leur alimentation.

Sains et actifs : *Qu'est-ce qui nuit à un mode de vie sain et actif ?*

D.R. : Je commencerais par dire les parents qui ne supportent pas leurs enfants, parce que ça peut faire en sorte que tu ne progresses pas, que tu te décourages et que tu ne veuilles plus continuer à pratiquer ton sport. Je dirais aussi les jeux vidéo. Moi, j'aime les jeux vidéo, mais je mets la priorité sur mon entraînement dans mon horaire. J'ai connu des gens qui ne s'entraînent plus à cause des jeux vidéo. Ils ont inversé leurs priorités. Les jeux vidéo ont pris de plus en plus de place et l'entraînement en a pris de moins en moins. Le problème, ce n'est pas juste les jeux vidéo, c'est l'ordinateur aussi.

« POUR ÊTRE EN BONNE SANTÉ, ÇA SE FAIT PROGRESSIVEMENT, PAR ÉTAPE »

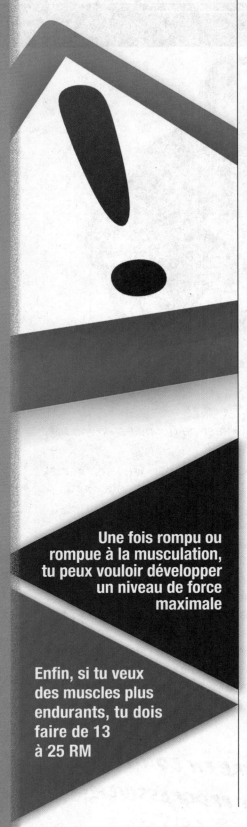

Une fois rompu ou rompue à la musculation, tu peux vouloir développer un niveau de force maximale

Enfin, si tu veux des muscles plus endurants, tu dois faire de 13 à 25 RM

1.7 Si tu fais de la musculation, suis ces règles

Il y a 30 ans à peine, la musculation était surtout pratiquée par des *messieurs muscles* ou des haltérophiles. Ce n'est plus le cas aujourd'hui ; les salles de musculation, qui se sont multipliées ces dernières années, sont remplies de personnes comme toi, qui veulent donner du galbe et, surtout, de la vigueur à leurs muscles. Voilà une bonne nouvelle parce que des muscles vigoureux sont bénéfiques pour la santé physique et mentale. Mais, pour profiter des bienfaits de la musculation sans se blesser ni se décourager faute de résultats, il faut respecter les 10 règles d'or suivantes.

Règle n° 1 : S'échauffer au début et s'étirer à la fin

Commence toujours ta séance de musculation par une période d'échauffement afin de rendre les muscles plus chauds et termine-la toujours par des exercices d'étirement. Les muscles ont travaillé en contraction pendant de longues minutes, les étirer un peu leur fera du bien et préservera leur flexibilité.

Règle n° 2 : Exécuter le nombre approprié de répétitions

Pour accroître la force de leurs muscles, les débutants doivent soulever les poids de 7 à 12 fois, la dernière répétition étant la plus difficile. C'est ce qu'on appelle, dans le jargon de la musculation, le *RM* pour « répétitions maximales ». Lors des premières séances, vise un 12 RM allégé, c'est-à-dire que tu sens, à la douzième répétition, que tu peux en faire 2 ou 3 de plus. Tu soulèves ainsi un poids plus léger au début. Pour déterminer ce 12 RM allégé, tu dois, lors de la première séance, faire quelques essais pour établir le poids de départ, c'est-à-dire celui que tu soulèveras, avec une certaine aisance, 12 fois. Pour maximiser tes résultats, exécute éventuellement 2 séries de 12 RM, séparées par une pause de 1 à 2 minutes. Pendant cette pause, tu peux faire un autre exercice en autant qu'il sollicite d'autres muscles. Une fois tes muscles bien rôdés, tu peux réaliser un *vrai* 12 RM. Une fois rompu ou rompue à la musculation, tu peux vouloir développer un niveau de force maximale. Pour y arriver, tu dois faire 6 RM ou moins. Tu comprends que le poids à soulever lors de chaque répétition est alors très lourd. Ce n'est donc pas une formule pour débutants. Enfin, si tu veux des muscles plus endurants, tu dois faire de 13 à 25 RM, en débutant avec un 10 à 15 RM léger. Consulte le tableau à la page suivante pour connaître les recommandations des experts à ce sujet.

TROIS PROGRAMMES TYPES D'AMÉLIORATION DE LA VIGUEUR MUSCULAIRE

Principes de la surcharge	Programmes		
	1 Gain d'endurance musculaire	**2** Gain de force et de masse musculaire	**3** Atteinte de la force maximale*
L'intensité	De 70 % à 40 % du 1 RM.	De 85 % à 70 % du 1 RM.	De 100 % à 85 % du 1 RM.
Les répétitions	De 13 à 30 RM** (et +).	De 7 à 12 RM**.	De 1 à 6 RM**.
La progression (augmentation du poids à déplacer)	Dès que tu peux effectuer l'exercice avec deux ou trois répétitions de plus que la zone prescrite lors de deux séances consécutives d'entraînement.	Dès que tu peux effectuer l'exercice avec une ou deux répétitions de plus que la zone prescrite lors de deux séances consécutives d'entraînement.	Dès que tu peux effectuer l'exercice avec une répétition de plus que la zone prescrite lors de deux séances consécutives d'entraînement.
Les séries	Deux et plus.	Deux et plus.	Cinq et plus.
La période de repos recommandée entre les séries	Une ou deux minutes.	De une à trois minutes.	De deux à quatre minutes, au besoin.
La fréquence	De deux à sept fois par semaine***.		
La période de repos recommandée entre les séances	Pour les débutants, 48 heures. Pour les initiés, de 24 à 48 heures.		

* Ce programme n'est pas recommandé pour les débutants.

** L'intensité la plus élevée correspond au plus petit nombre de répétitions, et l'intensité la moins élevée, au plus grand nombre de répétitions.

*** Si tu appliques un de ces programmes tous les jours, tu devras faire travailler les masses musculaires en alternance. Par exemple, le lundi, le mercredi et le vendredi, tu travailles le haut du corps ; le mardi, le jeudi et le samedi, le bas du corps.

Source : Adapté de Richard CHEVALIER, *À vos marques, prêts, santé !,* 4e édition, ERPI, 2006, tableau 2.3, p. 299.

Règle no 3 : Isoler les muscles sollicités

Si tu souhaites, par exemple, renforcer tes triceps, tu dois choisir le bon mouvement, c'est-à-dire celui qui sollicite principalement les triceps. Il est capital que ta posture soit correcte pendant l'exécution du mouvement. Sur un appareil de musculation, il est plus facile d'adopter la bonne posture parce que le déplacement du poids est déterminé par l'appareil. Si tu travailles avec des poids libres, tu dois être solide sur tes pieds, les genoux légèrement fléchis et le tronc immobile pendant l'exécution d'un mouvement, à moins, bien sûr, que le tronc ne soit lui-même sollicité par l'exercice. Au besoin, sers-toi des miroirs de la salle de musculation pour te corriger ; ils sont là pour ça !

Règle no 4 : Faire le mouvement lentement et complètement

Si on fait des mouvements rapides, les muscles travaillent moins longtemps. De plus, les mouvements rapides (et probablement incomplets) avec des poids augmentent le risque d'une blessure musculaire. Au contraire, une vitesse d'exécution lente accroît plus rapidement la force des muscles, comme l'ont démontré les études sur le sujet.

Règle no 5 : Expirer pendant la levée du poids

Si tu bloques ta respiration pendant l'effort, tu risques de voir des étoiles, en plus de faire monter inutilement ta tension artérielle !

Tu dois également entraîner les muscles par paire afin de favoriser leur développement harmonieux

Si tu ressens une douleur pendant l'exécution d'un mouvement, il vaut mieux t'arrêter

Règle n° 6 : Solliciter l'ensemble des muscles

Pour éviter d'avoir des biceps plus gros que les cuisses, tu dois t'assurer d'inclure des exercices qui sollicitent autant les muscles du haut du corps que ceux du bas du corps. Tu dois également entraîner les muscles par paire afin de favoriser leur développement harmonieux (ex. : muscles du devant du bras (biceps) et muscles arrière du bras (triceps) ; muscles du devant de la cuisse (quadriceps) et muscles arrière de la cuisse (ischios) ; etc.).

Règle n° 7 : Commencer par les gros muscles qui sollicitent plus d'une articulation à la fois

Par exemple, fais travailler les cuisses avant les triceps ou fais des développés-couchés avant de travailler uniquement les épaules. Si tu procèdes à l'inverse, tes petits muscles seront rapidement épuisés. Tu risques alors de manquer d'énergie au moment de solliciter tes gros muscles. Il est aussi recommandé de réaliser les exercices pour les abdominaux à la fin, et non au début, de la séance. Ces muscles aident à stabiliser le tronc lors de l'exécution d'un grand nombre d'exercices. Si tu les épuises dès le début de la séance, ils seront moins efficaces pour faire ce boulot.

Règle n° 8 : Faire au moins deux séances par semaine

On s'améliore à partir de deux entraînements par semaine. Évidemment, trois, c'est mieux, mais sept, c'est peut-être trop. Donne une chance à tes muscles de souffler un peu ! Idéalement, tu devrais t'accorder un jour de repos entre les entraînements.

Règle n° 9 : Utiliser la technique de la périodicité

Cette technique est appropriée si tu t'entraînes toute l'année. Elle consiste simplement à varier les exercices et les combinaisons de RM et de séries ; l'alternance permet d'éviter la fatigue musculaire. Par exemple, tu peux faire 2 séries de 10 RM pendant un mois, puis passer à 3 séries de 15 RM le mois suivant, et ainsi de suite. Tu peux aussi varier le menu pendant une même semaine. Par exemple, les lundis et mercredis, tu travailles les muscles du haut du corps, et les mardis et jeudis, ceux du bas du corps.

Règle n° 10 : S'arrêter si on ressent de la douleur

Si tu ressens une douleur pendant l'exécution d'un mouvement, il vaut mieux t'arrêter ; il peut s'agir d'un début de tendinite. Si la douleur s'estompe, tu peux continuer, mais en réduisant la charge à soulever ou l'intensité de l'exercice. Toutefois, sache qu'au début d'un tel programme, les courbatures qui apparaissent parfois le lendemain sont tout à fait normales !

1.8 Améliorer sa respiration grâce à l'activité physique

Ne retiens surtout pas ton souffle en lisant ce texte. Au contraire, laisse-le aller, lentement et profondément, mourir et renaître. En peu de temps, tu seras plus détendu ou plus détendue parce qu'une respiration profonde détend le corps. Les yogis le savent depuis des lustres.

Il faut cependant aller plus loin, car une fois ta lecture achevée, ta respiration, possiblement prisonnière du stress quotidien, redeviendra courte et superficielle. Dans ces conditions, l'air entre et sort des poumons en coup de vent, sans jamais avoir le temps de se rendre dans leurs parties profondes. Les échanges d'oxygène et de gaz carbonique entre le sang et les poumons sont alors fortement réduits. Résultat de ce filet de souffle : les poumons étant sous-utilisés et les cellules, moins bien oxygénées, divers malaises apparaissent (ex. : pertes de concentration, maux de tête, étourdissements, fatigue chronique, ou encore, engourdissement des doigts et des pieds). En somme, la respiration courte et superficielle, qu'on appelle *respiration thoracique,* fait en sorte que le corps est mal oxygéné et, on peut le dire, mal *décarbonisé* !

Expire ! Expire !

Ce qui fait défaut à la respiration thoracique, c'est l'ex-pi-ra-tion. En expirant plus à fond, on expulse une plus grande quantité d'air vicié - du *gaz carbonique* - et on fait davantage de place à l'air frais. Du coup, les échanges gazeux et l'oxygénation des cellules s'améliorent. Les poumons retrouvent enfin leur efficacité !

Curieusement, pour améliorer l'expiration, il faut corriger l'inspiration. En effet, une bonne inspiration sollicite le diaphragme, muscle mince en forme de dôme qui sépare le thorax de l'abdomen. Quand on inspire, il se contracte et s'abaisse afin d'agrandir, de haut en bas, le volume de la cage thoracique. Lors d'une inspiration profonde, le diaphragme peut même descendre d'une dizaine de centimètres ! Les muscles situés entre les côtes, les intercostaux, participent également à l'inspiration en agrandissant, par les côtés cette fois, la cage thoracique. Pendant l'expiration, le diaphragme se détend et remonte, à la manière d'un élastique tendu qu'on relâche. Ce mouvement de recul permet aux poumons d'expulser l'air vicié sans grand effort. Voilà pourquoi une inspiration profonde entraîne *de facto* une expiration profonde.

L'INSPIRATION

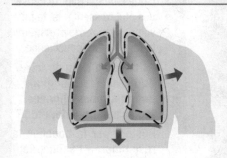

L'EXPIRATION

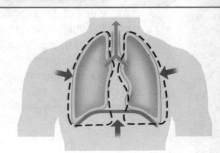

La respiration abdominale et le *cardio* à la rescousse des poumons

Pour solliciter au maximum ton diaphragme, utilise la respiration abdominale. Voici comment la faire. Allonge-toi sur le dos, place tes deux mains sur l'abdomen. Inspire profondément par le nez (ou par la bouche si cela te convient mieux) en laissant ton ventre se gonfler, comme si l'air y pénétrait. D'ailleurs, tu sentiras tes mains placées sur ton ventre se soulever, alors que ta poitrine ne se soulèvera que très peu ; un signe que ton diaphragme a bien travaillé. Ensuite, expire lentement par la bouche. Ne fais jamais l'inverse, c'est-à-dire inspirer en rentrant le ventre. Cette manœuvre, longtemps enseignée chez les militaires, nuit carrément au travail du diaphragme. La contraction des abdominaux bloque, en effet, le mouvement de descente du diaphragme.

Les exercices aérobiques peuvent aussi revigorer des poumons à bout de souffle.

Comment respirer quand…

… tu es stressé ou stressée ?

Prends (discrètement s'il le faut) deux ou trois grandes respirations abdominales. La détente est immédiate. Utilise la même technique quand une situation te met mal à l'aise. Ne bloque surtout pas ta respiration, ce qu'on a tendance à faire en état de stress.

… tu es en train de soulever un objet lourd ?

Expire lentement pendant l'effort. Lorsque tu bloques ta respiration, tu affectes le retour du sang au cœur en comprimant les veines thoraciques, ce qui peut te causer des étourdissements, te faire voir des *points noirs* et même te faire perdre conscience.

… tu es en train de faire du *cardio* (ex. : jogging, patins à roues alignées, tapis roulant, vélo, etc.) ?

Respire par la bouche : la résistance à l'écoulement de l'air y est de deux à trois fois plus faible que par le nez. Tu facilites ainsi la circulation de l'air. Un inconvénient : les muqueuses de la bouche auront tendance à s'assécher. Une gorgée d'eau de temps en temps réglera ce problème.

Phase d'inspiration : le ventre se gonfle, puis la cage thoracique s'élargit.

Phase d'expiration : lente, les lèvres pincées.

Fais le Point ☑ ☑ ☑

1 Relie les termes de la colonne de gauche aux énoncés de la colonne de droite.

FCC ●   ● Nombre d'exécutions d'un mouvement donné.

● Choix d'une activité physique en fonction
d'un objectif spécifique d'entraînement.

Expiration ●

● Fréquence cardiaque cible.

Durée, intensité et fréquence ●

● Nombre de séances d'activité physique
par semaine.

Progression ●

● Augmentation de la durée des séances
d'activité physique d'une semaine à l'autre.

Répétition ●

Spécificité ●   ● Action qui permet aux poumons d'expulser
l'air vicié.

● Les trois variables les plus importantes pour
Fréquence ●   améliorer la force musculaire.

2 Quelles peuvent être les conséquences d'une respiration courte et superficielle?

_____

_____

_____

_____

_____

3 Que faut-il éviter lors de la respiration abdominale? Encercle la lettre appropriée.

A. Respirer rapidement.

B. Inspirer en contractant les abdominaux.

C. Exécuter cette technique couché ou couchée sur le ventre.

D. Toutes ces réponses.

E. Aucune de ces réponses.

1.9 Sports extrêmes = émotions extrêmes

Sommet du mont Yamaska à St-Paul d'Abbotsford, un jour de mars. Harnaché d'un lourd fardeau, et malgré la neige, un homme court de plus en plus vite vers... l'abîme. Mais, il n'y tombera jamais : une main géante le soulève doucement pour l'emmener vers les nuages. Notre homme est un parapentiste aguerri, et il vole. Pour d'autres, le grand frisson sera bientôt d'affronter, en pneumatique, les bouillons tumultueux d'une rivière, ou le parc de planchistes...

En fait, les adeptes de sports à grands frissons sont de plus en plus nombreux. Une question se pose alors : Pourquoi un tel engouement pour des sports potentiellement risqués dans une société qui semble justement avoir le risque en aversion ?

> **Même le retentissant «Ohhh!» provoqué par un saut à l'élastique ne leur suffit pas : trop éphémère et passif**

Selon l'historien américain Ralph Keyes, auteur du livre à succès, *Chancing It : Why We Take Risks*, c'est logique. «Plus la vie quotidienne est dépourvue de risques, plus nous en recherchons ailleurs. Pour plusieurs, la recherche du risque et des émotions fortes devient ce piment qui manque à leur vie. »

En fait, la raison qui nous pousse souvent à pratiquer un sport à sensations fortes est la même qui nous amène à faire un tour de montagnes russes : le frisson, le *thrill* - appelle-le comme tu veux - déclenché par ce torrent d'adrénaline qui envahit le sang lorsqu'on a peur ou qu'on est dans un état de grande excitation. L'adrénaline est d'ailleurs surnommée l'*hormone numéro un du stress.*

Tester ses limites

Les amateurs de sports extrêmes ont soif de grands frissons, d'aventures et de défis. Même le retentissant «Ohhh!» provoqué par un saut à l'élastique ne leur suffit pas : trop éphémère et passif. Ces sportifs veulent plus que l'effet *adrénergique*. Ils veulent sortir de l'ordinaire, relever un défi palpitant et, surtout, tester leurs limites physiques et mentales. Toutefois, la plupart connaissent également cette recommandation primordiale : il faut bien se préparer physiquement, matériellement et mentalement, sous peine de se retrouver à l'hôpital ou, pire, de disparaître de ce monde ! L'important, c'est la prudence plutôt que la témérité !

REGARD ★
CRITIQUE

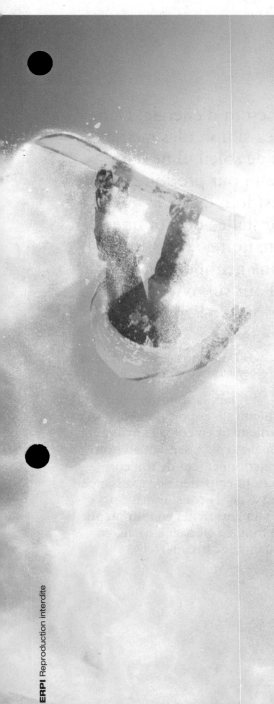

Lis le texte suivant. Souligne les aspects positifs et encercle les aspects négatifs de la pratique des sports extrêmes.

La planche à neige : à vos risques et périls !

Linda Paquette, étudiante au doctorat au Département de psychologie de l'Université de Montréal, a réalisé la première étude au Canada sur les jeunes et la prise de risques dans les sports extrêmes. Dans cette étude, la jeune femme a recueilli les témoignages de 685 jeunes de 14 à 19 ans en ciblant la pratique de la planche à neige.

Qu'est-ce qui fait courir les adeptes des sports extrêmes ? « Ils aiment le risque, répond Linda Paquette. Dans une société où le confort physique est assuré à la grande majorité de la population, se confronter avec la mort est une sensation incomparable. » Dans sa thèse, la chercheure décrit les sensations liées à la pratique d'un sport extrême. « Votre système sympathique s'active et votre cœur bat jusqu'à trois fois plus rapidement, votre pression sanguine augmente, votre bouche s'assèche et vous ressentez le besoin d'éviter ce qui s'apprête à se produire [...] En moins de quelques millisecondes, votre hypothalamus commence à décharger de la corticolibérine qui oblige la glande pituitaire à sécréter de l'adrénocorticotrophine [...], ce qui vous donne l'impression d'avoir des papillons dans l'estomac. »

Linda Paquette a voulu savoir ce qui amenait certains sportifs à prendre des risques élevés. « Certaines personnes prennent des risques afin de stimuler leur estime de soi. Chaque défi relevé représente pour elles une démonstration de la réussite dont elles sont capables. Chez d'autres, la prise de risques est au contraire une fuite des problèmes. Selon nos données, elles sont plus nombreuses que dans le premier groupe à consommer des psychotropes, probablement pour les mêmes raisons. »

La planche à neige, un sport de plus en plus populaire au Québec, est la cause de près de 10 % des traumatismes d'origines sportive et récréative, selon l'Institut national de santé publique du Québec.

Source : Adapté de « Qui pratique les sports extrêmes ? », *Forum*, vol. 41, n° 24, 19 mars 2007 [en ligne]. (Consulté le 13 janvier 2009.)

② L'ALIMENTATION

Pour avoir de l'énergie, il faut que tu consommes de l'énergie !

« Tous les êtres vivants ont besoin d'énergie. Dans le cas des végétaux, c'est assez simple : les racines dans le sol, quelques rayons de soleil, il ne leur manque plus qu'un peu d'eau pour produire leur énergie vitale. La situation est loin d'être la même pour l'humain ! Installé ou installée devant une fenêtre, les pieds dans la terre noire, il ne suffira pas qu'un gentil voisin ou une gentille voisine assure un arrosage régulier. Pour survivre, pour fonctionner, l'humain a besoin de l'énergie contenue dans les aliments. »

Marielle LEDOUX, Nathalie LACOMBE et Geneviève ST-MARTIN, adapté de *Nutrition, sport et performance,* Géo Plein Air, 2006, p. 11.

Nutriment

Élément contenu dans les aliments et pouvant être entièrement et directement assimilé par l'organisme. Les nutriments sont généralement classés en nutriments énergétiques (les glucides, les lipides et les protéines) et en nutriments essentiels (les vitamines, les minéraux et l'eau).

Pour avoir de l'énergie, il faut que tu consommes de l'énergie ! Tu peux toujours manger une tablette de chocolat ou boire une cannette de boisson énergisante hyper caféinée pour rehausser ton niveau d'énergie, mais l'effet de ces *raccourcis alimentaires* dure le temps d'un feu de paille, c'est-à-dire pas très longtemps.

En fait, la solution pour obtenir un apport durable non seulement en énergie, mais aussi en éléments essentiels au bon fonctionnement de ton corps, surtout en période de croissance, passe par la consommation d'aliments riches en **nutriments**, le tout accompagné d'eau, en quantité suffisante.

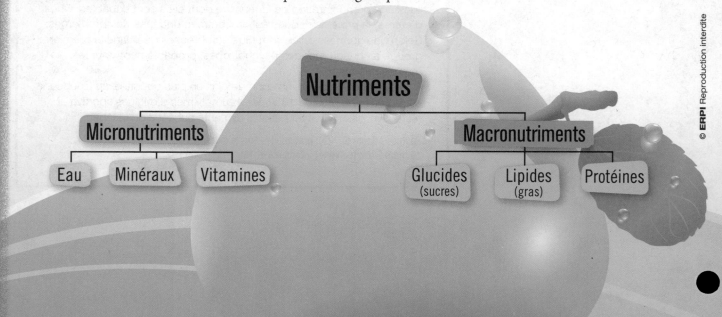

Nutriments

Micronutriments

Eau — Minéraux — Vitamines

Macronutriments

Glucides (sucres) — Lipides (gras) — Protéines

2.1 Alimentation et activité physique

Si ton niveau d'activité physique est modéré, tu n'as pas à modifier ton alimentation si elle est équilibrée, c'est-à-dire qu'elle contient des aliments des quatre grands groupes alimentaires recommandés dans le Guide alimentaire canadien. Comme tu dépenses plus de calories qu'un gars ou une fille de ton âge, qui est peu actif ou peu active physiquement (voir le tableau ci-dessous), ta sensation de faim augmentera naturellement selon les besoins de ton corps en énergie et en nutriments. Si ton niveau d'activité physique est élevé, voire très élevé (plus de cinq heures d'activités physiques vigoureuses par semaine), tu dois alors ajuster ton régime alimentaire.

Pour connaître la formule qui te permettra de calculer tes **besoins énergétiques estimatifs** selon ton sexe, ton âge, ta taille et ton poids, consulte le Compagnon Web.

LES BESOINS ÉNERGÉTIQUES ESTIMATIFS (BÉE) MOYENS POUR DIFFÉRENTS NIVEAUX D'ACTIVITÉ DES JEUNES DE 9 À 18 ANS, AU QUÉBEC, EN 2004

Sexe	Âge	Besoin énergétique estimatif (nombre de calories)			
		Personne sédentaire	Personne peu active	Personne active	Personne très active
Garçons	9-13	1967	2298	2628	3035
	14-18	2492	2929	3366	3903
Filles	9-13	1632	1923	2196	2650
	14-18	1785	2123	2441	2970

Source : Statistique Canada, *Enquête sur la santé dans les collectivités canadiennes*, cycle 2.2, Nutrition, 2004.

Voyons donc les aspects essentiels des nutriments, en commençant par les micronutriments.

MICRONUTRIMENTS

Les micronutriments sont des nutriments sans valeur énergétique, dont l'absorption en petite quantité est nécessaire au fonctionnement des cellules. On les appelle aussi les *nutriments essentiels*.

L'EAU

Personne ne peut survivre plus de quelques jours sans boire d'eau, car l'eau remplit trois grandes fonctions essentielles à la vie :

- L'eau, qui compose plus de 50 % du sang, achemine aux cellules les éléments nutritifs nécessaires à leur bon fonctionnement.
- L'eau, toujours par le sang, permet à l'organisme de se débarrasser des déchets produits par l'activité des cellules, dont le dioxyde de carbone (gaz carbonique).
- L'eau se comporte comme une thermopompe en *climatisant* le corps, en particulier lorsque les muscles travaillent par temps chaud et humide.

Pour toutes ces raisons, tu dois boire de l'eau tous les jours et en quantité suffisante, parce que tu perds quelque 2,5 L d'eau par jour sous forme d'urine, de sueur et de vapeur d'eau (rejetée quand tu expires). Et s'il fait très chaud et humide ou que tu pratiques une activité vigoureuse, tu dois en boire encore plus. Cela ne veut pas dire de boire 6 ou 8 grands verres d'eau, puisque les aliments que tu manges en contiennent déjà environ 1 L, comme tu peux le lire dans le tableau ci-dessous. Il te manque donc environ 1,5 L d'eau ou de boissons par jour pour compenser ces pertes.

L'EAU ET L'ACTIVITÉ PHYSIQUE

Boire suffisamment d'eau est essentiel quand tu t'actives physiquement parce que tu en perds beaucoup, surtout si l'activité est vigoureuse et prolongée. Voici les recommandations des experts :

- **AVANT TON ACTIVITÉ PHYSIQUE**, soit 2 à 3 heures (ou même 4 heures) avant ta séance d'activité physique ou ton cours d'éducation physique et à la santé, tu dois boire de 5 ml à 7 ml de liquide par kilogramme de poids corporel, soit l'équivalent d'un grand verre d'eau (de 300 ml à 400 ml). Ainsi, tu t'assureras des réserves suffisantes d'eau pour permettre à ton corps de bouger sans déséquilibre.
- **PENDANT TON ACTIVITÉ PHYSIQUE**, selon la durée et l'intensité de ta séance d'activité physique, tu dois boire plusieurs gorgées d'eau à la fontaine ou, si tu as une bouteille d'eau, l'équivalent d'un petit verre d'eau (de 150 ml à 250 ml) toutes les 15 à 20 minutes. En prenant ainsi de petites quantités d'eau, plutôt qu'une grande, tu aideras ton organisme à assimiler l'eau que tu lui fournis.
- **SI L'ACTIVITÉ VIGOUREUSE DURE PLUS D'UNE HEURE**, tu as intérêt à boire une eau légèrement sucrée et salée parce que tes muscles commenceront à manquer de carburant (sucre) et tu auras sans doute perdu pas mal de sodium par la sueur. Une boisson réhydratante pourra faire l'affaire, car ces boissons sont légèrement sucrées et salées.

LA TENEUR MOYENNE EN EAU DE QUELQUES ALIMENTS

Aliments	Teneur
Légumes frais	90 %
Fruits frais	85 %-95 %
Lait	90 %
Viande et poisson	50 %-70 %
Pain	35 %

Source : Extenso, *Les éléments nutritifs : Eau* [en ligne]. (Consulté le 18 mars 2009.)

TES BESOINS QUOTIDIENS EN CALCIUM, FER ET VITAMINE D

Vitamines et minéraux	Gars 14 à 18 ans	Filles 14 à 18 ans
Calcium	1300 mg/jr	1300 mg/jr
Fer	11 mg/jr	15 mg/jr
Vitamine D	5 µg*/jr	5 µg/jr
* 1 µg = 1 microgramme = 40 UI (unités internationales)		

Source : Adapté de Marielle LEDOUX, Nathalie LACOMBE et Geneviève ST-MARTIN, *Nutrition, sport et performance,* Géo Plein Air, 2006, p. 95 et 100.

OÙ TROUVE-T-ON LES MINÉRAUX ?

LES MINÉRAUX

Au nombre de 22, ils contribuent au bon fonctionnement de l'organisme en plus de renforcer les dents et les os.

Minéral	Bonnes sources alimentaires
Calcium	Lait et substituts, sardines en conserve, saumon avec arêtes en conserve, brocoli, légumineuses, boissons végétales enrichies (boisson de soja, boisson de riz ou jus d'orange), amandes ou beurre d'amande, figues sèches, légumes à feuilles vert foncé et tofu enrichi de calcium.
Fer	Foie, cœur, rognon, viande rouge (ex. : bœuf, veau, porc, gibier, etc.), viande brune de volaille, poisson, huîtres et palourdes.
Magnésium	Huîtres, lait et yogourt, légumineuses, céréales, noix, mélasse, légumes à feuilles vert foncé et cacao.
Sodium	Sel, marinade, bouillon, sauce pour salade, sauce de soja, aliments salés congelés ou en conserve, sauce tomate, fromage, moutarde et ketchup.
Potassium	Viande, légumes et fruits (ex. : pomme de terre, tomate, cantaloup, banane, orange et pamplemousse), lait, céréales et légumineuses.
Iode	Sel iodé, poisson et fruits de mer et lait.
Chlorure	Sel.
Zinc	Huîtres, viande, foie, grains entiers, légumineuses et lait.

Source : Adapté de l'Association canadienne des entraîneurs, *Alimentation des athlètes qui s'entraînent : les sources alimentaires des minéraux* [en ligne]. (Consulté le 19 mars 2009.)

OÙ TROUVE-T-ON LES VITAMINES ?

LES VITAMINES

Au nombre de 13, elles permettent l'utilisation par les cellules des macro-nutriments (les glucides, les lipides et les protéines) en plus d'accélérer les réactions chimiques dans les cellules.

Vitamine	Bonnes sources alimentaires
A	Abats, hareng mariné, cantaloup et plusieurs légumes (ex. : carotte, chou, courge, épinard, patate douce, rutabaga, etc.).
Complexe B	Abats, viande, volaille, céréales à grains entiers, noix et graines, légumineuses, lait, œufs, légumes et fruits (ex. : asperge, betterave, champignon, chou-fleur, laitue, légumes verts feuillus, orange, pomme de terre, pois vert, etc.).
C	Nombreux légumes et fruits (ex. : betterave, brocoli, chou de Bruxelles, fraise, kiwi, mangue, orange, poivron rouge, etc.).
D	Boissons de soja et de riz enrichies, lait et yogourt enrichis, foie de bœuf, poisson (ex. : sardines, saumon, thon rouge, etc.).
E	Amandes, arachides, graines de tournesol, noisettes et autres fruits à écale, avocat, huile de canola, pâte de tomate, céréales de son.
K	Algues (nori), kiwi et légumes verts (ex. : asperge, bette à carde, brocoli, chou de Bruxelles, épinard, haricot vert, laitue, etc.).

Source : Adapté de «Nutrition 101 : De la vitamine A au zinc», *Mieux manger pour le plaisir et la santé*, collection Protégez-vous, 2007, p. 13-15.

LES VITAMINES ET MINÉRAUX ET L'ACTIVITÉ PHYSIQUE

Quand on est physiquement actif ou active, il va de soi que le corps, en raison de la grande activité du métabolisme, utilise davantage de vitamines et de minéraux que lorsqu'on est peu actif ou peu active. Si ton régime alimentaire est équilibré (voir les pages 78 et 79) et que ton apport calorique est ajusté à la hausse, comme c'est probablement le cas, tu n'as pas besoin de consommer de suppléments de vitamines et de minéraux. Toutefois, comme Santé Canada rapporte que les jeunes de 14 à 18 ans manquent un peu de vitamine A,

assure-toi que tu consommes de 5 à 7 portions de fruits et légumes par jour. Tu auras ainsi un apport suffisant en vitamine A. Le fait de manger régulièrement des produits laitiers (ex. : lait, fromage, yogourt) et de la viande te fournit des apports adéquats en zinc, en calcium, en magnésium et en fer. Ces minéraux sont très importants, à la fois pendant la croissance et pendant la pratique de l'activité physique. Toutefois, un complément multivitaminique peut convenir aux athlètes qui doivent suivre un régime ou qui ont une carence en certains micronutriments.

LES GLUCIDES

Les glucides constituent la principale source d'énergie des cellules, en plus de contenir des fibres alimentaires indispensables au bon fonctionnement des intestins. Que tu manges une pizza ou que tu croques une poire, ton corps transforme les glucides contenus dans ces aliments en glucose ou *glucide simple*. Le glucose est ensuite transformé par la cellule en ATP, la source d'énergie universelle des cellules. Il existe deux types de glucides dans les aliments : les glucides simples et les glucides complexes ou glucides de digestion lente. Les deux types sont importants pour le bon fonctionnement de l'organisme.

Les sucres raffinés, comme le sucre de table et celui qu'on ajoute dans les aliments préparés et les boissons gazeuses, n'apportent que des calories. De plus, ils élèvent rapidement le taux de sucre dans le sang (glycémie), ce qui y déclenche une arrivée importante d'insuline en vue d'abaisser le taux de sucre, qui baisse alors trop rapidement. Il s'ensuit une baisse d'énergie causée par ce phénomène de *yoyo glycémique*. Or, c'est la consommation de ce type de glucide qui a le plus augmenté depuis deux siècles, comme le montre le diagramme suivant.

LA CONSOMMATION DE SUCRES RAFFINÉS DEPUIS 200 ANS

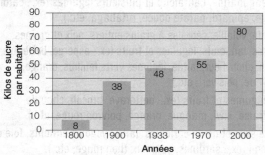

Source : Adapté de Mangermaigrir.fr, *Le sucre* [en ligne]. (Consulté le 21 mars 2009.)

Selon les nutritionnistes de Santé Canada, les glucides devraient te fournir environ la moitié de l'énergie dont tu as besoin, soit de 45 % à 65 % des calories que tu consommes dans une journée. Un glucide fournit 4 cal/g.

OÙ TROUVE-T-ON LES GLUCIDES ?

Les **glucides simples** sont présents dans les fruits frais, certains légumes (ex. : carottes), le sucre de table, le miel ainsi que dans l'ensemble des confiseries et des boissons sucrées. Les glucides complexes se trouvent dans les produits céréaliers (ex. : pain et pâtes), les légumineuses, les fruits et les légumes, les racines (ex. : pommes de terre) et le foie des animaux.

Pour en savoir plus sur les aliments les plus riches en glucides, consulte le Compagnon Web.

MACRONUTRIMENTS

Les macronutriments sont des nutriments qui fournissent de l'énergie à l'organisme. On les appelle aussi les *nutriments énergétiques*.

TES BESOINS QUOTIDIENS EN GLUCIDES, LIPIDES ET PROTÉINES

Nombre de calories provenant des macronutriments (en %)		
Glucides	Lipides	Protéines
45 %-65 %	25 %-35 %	10 %-30 %

LES GLUCIDES ET L'ACTIVITÉ PHYSIQUE

Comme les glucides sont la source d'énergie la plus importante pour les muscles au travail, tu dois t'assurer que tu n'en manques pas pendant ta séance d'activité physique, sinon ce sera la panne d'énergie. Par conséquent, si tu prévois pratiquer une activité physique modérée ou vigoureuse pendant plus de 60 minutes, tes muscles auront besoin de plus de glucides pour tenir le coup.

Dans ce cas, prends, une heure et demie à deux heures avant l'activité, un repas léger contenant deux ou trois aliments riches en glucides de digestion lente. Ce repas fera monter graduellement ton taux de sucre dans le sang.

Si tu es légèrement ou modérément actif ou légèrement ou modérément active, le repas que tu prendras après ta séance d'activité physique n'a pas à être modifié. Par contre, si tu pratiques des activités vigoureuses et prolongées presque tous les jours, tu peux aider tes muscles à refaire le plein d'énergie rapidement. Tu éviteras ainsi une fatigue musculaire précoce lors de ta prochaine séance d'exercice.

QUELQUES EXEMPLES DE COLLATIONS CONTENANT ENVIRON 50 g DE GLUCIDES

- 375 ml de jus de fruits (ex. : orange, pamplemousse, pomme, fruits mélangés)
- 250 ml de jus de raisin
- 500 ml de lait au chocolat
- 3 ½ tranches de pain
- 2 pochettes de pain pita
- 125 ml de pouding au riz et aux raisins
- 500 ml de céréales de riz
- 250 ml de pâtes alimentaires cuites
- 250 ml de riz cuit
- 125 ml de raisins secs
- 2 grosses pommes
- 8 dattes
- 2 poires
- 9 pruneaux

LES LIPIDES

Voilà des nutriments qui ont mauvaise presse. Pourtant, ils sont essentiels à la bonne santé, car ils fournissent de l'énergie (9 cal/g comparativement à 4 cal/g pour les glucides et les protéines), en plus d'entrer dans la constitution des membranes des cellules et des nerfs, et de faciliter l'absorption des vitamines A, D, E et K. Les lipides servent aussi d'isolant contre le froid et de coussins protecteurs pour les organes.

Selon leur composition chimique, les lipides sont saturés ou non saturés. À leur tour, les lipides non saturés se subdivisent en acides gras mono-insaturés et polyinsaturés. Les aliments riches en lipides devraient te fournir de 25 % à 35 % des calories quotidiennes.

OÙ TROUVE-T-ON LES LIPIDES ?

Les lipides non saturés abondent dans les huiles végétales (ex.: huile de canola, d'olive, de tournesol, de maïs, de soya, etc.), les noix, les graines et le poisson. Ces aliments contiennent également des lipides essentiels que l'organisme ne peut pas fabriquer lui-même: ce sont les oméga-3 et les oméga-6.

LES LIPIDES ET L'ACTIVITÉ PHYSIQUE

Comme pour les protéines, les jeunes de ton âge ne manquent pas de lipides, parce que le régime alimentaire nord-américain typique en contient des quantités plus que suffisantes. Donc, nul besoin d'en ajouter, même si tu es physiquement actif ou active. Il y a toutefois des ajustements à apporter selon les types de lipides consommés. Ainsi, selon des données récentes de Statistique Canada et de l'Institut de la statistique du Québec, un nombre élevé de gars et de filles de 14 à 18 ans consomment trop de gras saturés et pas suffisamment d'aliments riches en oméga-6 ni, surtout, en oméga-3.

RAPPELLE-TOI : Si tu es physiquement actif ou active, tu dois mettre l'accent sur les oméga-3 parce que ce sont eux qui nous font le plus défaut.

LES PROTÉINES

Elles constituent le matériau de base des cellules, en plus de celui des hormones, des enzymes et des éléments de notre système immunitaire. Deux exemples visibles de l'action des protéines : les ongles et les cheveux qui poussent. Les protéines jouent un rôle clé, en particulier dans la croissance, la récupération et le maintien des muscles, mais aussi dans la formation de l'hémoglobine, la substance qui capte l'oxygène dans le sang et le transporte vers les cellules. Enfin, les protéines servent à produire le lait maternel. Les protéines devraient représenter de 10 % à 30 % de ton apport calorique quotidien.

Pendant la croissance, alors que ta taille et ton poids changent beaucoup d'une année à l'autre, il est important que tu t'assures de consommer suffisamment de protéines.

OÙ TROUVE-T-ON LES PROTÉINES ?

On trouve les protéines dans les produits animaux (viande rouge, poisson, volaille, fruits de mer, œufs, fromage, lait) et également dans les légumineuses, les graines et les noix.

LES PROTÉINES ET L'ACTIVITÉ PHYSIQUE

Tu peux estimer tes besoins en protéines en fonction de ton niveau d'activité physique.

Si tu es plutôt SÉDENTAIRE ces temps-ci (moins de 30 minutes d'activité physique d'intensité modérée par jour), MULTIPLIE TON POIDS (en kg) PAR 0,8. Par exemple, un gars de 75 kg, plutôt sédentaire, doit manger environ 64 g de protéines par jour.

Si tu es MODÉRÉMENT ACTIF OU MODÉRÉMENT ACTIVE, tu dois prévoir un APPORT QUOTIDIEN en protéines DE 1,2 g/kg À 1,4 g/kg. Par exemple, pour une fille de 62 kg, ses besoins quotidiens en protéines sont de l'ordre de 74 g à 87 g.

Si tu fais des SÉANCES D'ENTRAÎNEMENT INTENSIF pour développer ta force et ta puissance musculaires, tu peux calculer DE 1,6 g/kg À 1,7 g/kg par jour. Règle générale, notre alimentation quotidienne comble amplement ces besoins (on ne manque pas de protéines dans notre régime alimentaire, en Occident !).

Sédentaire: Poids en kg × 0,8
Modérément actif ou modérément active: Poids en kg × 1,2 — 1,4
Très actif ou très active : Poids en kg × 1,6 — 1,7

Fais le Point

1 Remplis le schéma suivant à l'aide des mots présentés dans l'encadré.

| Glucides | Complexes | Acides gras mono-insaturés | Oméga-3 |
| Non saturés | Protéines | | Animales |

MACRONUTRIMENTS

Lipides

Simples · Fibres · Saturés · Végétales

Acides gras polyinsaturés · Acides gras trans

Oméga-6

2 Remplis le tableau suivant en indiquant des aliments qui contiennent ces trois macronutriments.

Glucides		Lipides	Protéines	
Simples	Complexes		Animales	Végétales

3 Pour chacun des macronutriments, indique la lettre qui correspond à l'énoncé approprié. Tu peux associer plusieurs énoncés au même macronutriment.

Protéines : _____   **Glucides :** _____   **Lipides :** _____

A. Ce nutriment devrait combler de 10 % à 30 % des besoins énergétiques quotidiens.

B. Ce nutriment fournit 4 cal/g.

C. Ce nutriment fournit 9 cal/g.

D. C'est la principale source d'énergie de l'organisme.

E. Ce nutriment devrait combler de 25 % à 35 % des besoins énergétiques quotidiens.

F. Une personne sédentaire a besoin de ce nutriment à raison de 0,8 g par kg de poids corporel.

G. Ce nutriment devrait combler de 45 % à 65 % des besoins énergétiques quotidiens.

4 Malgré son style de vie plutôt sédentaire, Gabriella, une jeune fille de 16 ans pesant 83 kg, manque souvent d'énergie au cours de l'après-midi. Avec ses parents, elle a consulté un nutritionniste, qui lui a fait quelques recommandations :

- consommer trois petits repas par jour (le déjeuner, le dîner et le souper) ;
- prendre trois collations chaque jour (le matin, l'après-midi et le soir) ;
- opter pour des repas et des collations équilibrées.

Lis le menu que le nutritionniste lui propose, puis réponds aux questions de la page suivante.

LE MENU DE GABRIELLA

Repas	Aliments		Macronutriments
Déjeuner 7 h 00	• 2 tranches de pain (9 céréales avec fibres) • Verre d'eau (8 oz)	• Pomme jaune • 30 g de céréales aux raisins secs • 200 ml de lait 2 %	Glucides : 54,8 g Lipides : 8 g Protéines : 9,7 g
Collation 10 h 00	• 9 amandes • Pomme verte • Grand verre d'eau		Glucides : 29,1 g Lipides : 18 g Protéines : 7 g
Dîner 12 h 30	?		?
Collation 15 h 00	• Yogourt (1 % de matière grasse) • Poire • Portion de carottes crues		Glucides : 38 g Lipides : 1 g Protéines : 6 g
Souper 18 h 00	• Brocoli, chou-fleur et épinards • 1 c. à table d'huile de tournesol (oméga-3) • 100 g de riz brun	• Tomate en tranches • 100 g de poitrine de poulet • Verre d'eau (8 oz) • 100 g de framboises	Glucides : 45 g Lipides : 10 g Protéines : 38,1 g
Collation 20 h 30	• Poire en morceaux • Verre d'eau (8 oz)		Glucides : 26 g Lipides : 1 g Protéines : 1 g

a) Quels sont les besoins énergétiques de Gabriella pour la journée ? Indique tes réponses dans le schéma ci-dessous.

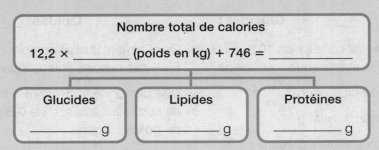

Nombre total de calories

$12,2 \times$ _____ (poids en kg) $+ 746 =$ _____

Glucides	Lipides	Protéines
_____ g	_____ g	_____ g

b) Si Gabriella consomme les aliments du menu proposé, quels sont ses besoins en macro-nutriments pour le dîner ?

Glucides : _____ g   Lipides : _____ g   Protéines : _____ g

c) Voici les étiquettes nutritionnelles d'aliments dont dispose Gabriella. Lesquels répondraient à ses besoins nutritionnels pour le dîner ? Coche les cases appropriées.

PAIN 14 CÉRÉALES NATURE ☐	
Valeur nutritive pour 1 tranche (40 g)	
Teneur	% valeur quotidienne
Calories 110	
Lipides 2,5 g	4 %
saturés 0,5 g + trans 0 g	2 %
Polyinsaturés 1 g	
Monoinsaturés 0,6 g	
Cholestérol 0 mg	0 %
Sodium 150 mg	6 %
Potassium 80 mg	2 %
Glucides 16 g	5 %
Fibres 2 g	9 %
Sucres 1 g	
Protéines 5 g	
Vitamine A	0 %
Vitamine C	0 %
Calcium	4 %
Fer	8 %

YOGOURT CRÉMEUX ☐	
Valeur nutritive par 100 g	
Teneur	% valeur quotidienne
Calories 90	
Lipides 2 g	3 %
saturés 1 g + trans 0,1 g	5 %
Cholestérol 5 mg	2 %
Sodium 45 mg	2 %
Glucides 16 g	5 %
Fibres 0 g	0 %
Sucres 15 g	
Protéines 3 g	
Vitamine A	2 %
Vitamine C	0 %
Calcium	10 %
Fer	4 %

THON BLANC ENTIER ☐	
Valeur nutritive par ½ boîte égouttée (60 g)	
Teneur	% valeur quotidienne
Calories 80	
Lipides 1,5 g	2 %
saturés 0,4 g + trans 0 g	3 %
Cholestérol 30 mg	0 %
Sodium 160 mg	7 %
Glucides 0 g	0 %
Fibres 0 g	0 %
Sucres 0 g	
Protéines 16 g	
Vitamine A	0 %
Vitamine C	0 %
Calcium	0 %
Fer	2 %

MOUTARDE DE DIJON ☐	
Valeur nutritive pour 5 ml	
Teneur	% valeur quotidienne
Calories 10	
Lipides 0,5 g	1 %
Sodium 115 mg	5 %
Glucides 0 g	0 %
Protéines 0,4 g	

PÂTES PRIMAVERA (REPAS SURGELÉ) ☐	
Valeur nutritive pour 1 plat (255 g)	
Teneur	% valeur quotidienne
Calories 260	
Lipides 8 g	12 %
saturés 3 g + trans 0,1 g	16 %
Cholestérol 15 mg	0 %
Sodium 900 mg	38 %
Glucides 35 g	12 %
Fibres 3 g	12 %
Sucres 8 g	
Protéines 13 g	
Vitamine A	35 %
Vitamine C	15 %
Calcium	20 %
Fer	4 %

MAYONNAISE ☐	
Valeur nutritive pour 15 ml	
Teneur	% valeur quotidienne
Calories 100	
Lipides 11 g	17 %
saturés 1 g + trans 0 g	5 %
Polyinsaturés 3 g	
Monoinsaturés 6 g	
Cholestérol 5 mg	2 %
Sodium 80 mg	3 %
Glucides 0 g	0 %
Fibres 0 g	0 %
Sucres 0 g	
Protéines 0,1 g	
Vitamine A	0 %
Vitamine C	0 %
Calcium	0 %
Fer	0 %

LAITUE ☐	
Valeur nutritive pour 100 g	
Teneur	% valeur quotidienne
Calories 20	
Lipides 0 g	0 %
saturés 0 g + trans 0 g	0 %
Cholestérol 1 mg	0 %
Sodium 10 mg	1 %
Glucides 3 g	1 %
Fibres 2 g	8 %
Sucres 1 g	
Protéines 1 g	
Vitamine A	50 %
Vitamine C	35 %
Calcium	4 %
Fer	6 %

JUS DE POMME ☐	
Valeur nutritive par 200 ml	
Teneur	% valeur quotidienne
Calories 90	
Lipides 0 g	0 %
saturés 0 g + trans 0 g	0 %
Cholestérol 0 mg	
Sodium 15 mg	1 %
Glucides 21 g	7 %
Fibres 3 g	12 %
Sucres 19 g	
Protéines 0 g	
Vitamine A	0 %
Vitamine C	100 %
Calcium	2 %
Fer	2 %

BISCUIT AUX BRISURES DE CHOCOLAT ☐	
Valeur nutritive pour 1 biscuit (25 g)	
Teneur	% valeur quotidienne
Calories 110	
Lipides 5 g	8 %
saturés 1 g + trans 0 g	5 %
Cholestérol 0 mg	0 %
Sodium 85 mg	4 %
Glucides 15 g	5 %
Fibres 1 g	4 %
Sucres 7 g	
Protéines 1 g	
Vitamine A	0 %
Vitamine C	0 %
Calcium	0 %
Fer	4 %

BARRE TENDRE (AVOINE ET MIEL) ☐	
Valeur nutritive pour 2 barres (46 g)	
Teneur	% valeur quotidienne
Calories 260	
Lipides 9 g	13 %
saturés 1 g + trans 0 g	5 %
Cholestérol 0 mg	0 %
Sodium 135 mg	6 %
Glucides 31 g	10 %
Fibres 3 g	12 %
Sucres 12 g	
Protéines 4 g	
Vitamine A	0 %
Vitamine C	0 %
Calcium	2 %
Fer	8 %

d) Nomme un avantage et un inconvénient du dîner que tu proposes à Gabriella.

_____

_____

À L'AFFICHE !

VÉRONIQUE CHARBONNEAU, joueuse de basketball

Véronique termine un programme d'études international et fait partie de l'équipe de basketball AA de sa région.

Sains et actifs : *Quelle activité physique pratiques-tu de façon régulière ?*

V.C. : Je pratique le basketball depuis maintenant six ans.

Sains et actifs : *Qu'est-ce qui te fait tant aimer le basket ?*

V.C. : J'aime pratiquer ce sport parce que ça m'apporte la confiance en moi. Je peux être avec mes amies et me défouler si ça va mal. Quand j'étais en 6e année, je voyais le monde jouer au basket et je trouvais que tout le monde avait un bon esprit d'équipe. Tout le monde s'amusait. Je me disais que je pourrais m'amuser aussi. Mon prof d'édu m'a beaucoup aidée. Il me disait : « Tu serais une bonne athlète pour mon équipe. Viens essayer le basket. Je suis sûr que tu aimerais ça. » Depuis, c'est ma passion !

« ÇA M'APPORTE LA CONFIANCE EN MOI »

Sains et actifs : *En quoi la pratique de ton sport influence-t-elle ton mode de vie ?*

V.C. : J'ai souvent plein de devoirs à faire, mais comme j'ai des séances d'entraînement, je dois planifier mon horaire. Je dois aussi m'assurer d'être en forme, prévoir l'heure à laquelle je dois me coucher.

Sains et actifs : *Dans ta vie, quelle place occupe la discipline ?*

V.C. : Je me couche souvent de bonne heure. J'ai une heure limite. Je dois bien manger aussi, sinon j'ai plus de difficultés à respirer et à courir à cause de mes problèmes d'asthme. Je cours, donc ça me permet d'avoir un meilleur *cardio*. La discipline m'aide à continuer à faire du sport, même si je souffre d'asthme.

C'est sûr que je me fais demander : « Pourquoi tu ne sors pas ce soir, on a un gros *party* ? » Mais, pour moi, c'est un choix que j'ai fait et ça ne me dérange pas de manquer un *party*. Parfois, j'aimerais sortir, mais j'ai un engagement et je le respecte.

Sains et actifs : *Quelle est ton opinion sur les substances nuisibles ?*

V.C. : Je suis contre la malbouffe et la cigarette. Du côté de la malbouffe, ce n'est pas bon pour la santé. Quand tu manges mal, ça ne te met pas en forme et tu grossis. Je ne comprends pas pourquoi certaines personnes ne font pas attention à leur alimentation. La cigarette, je suis contre, contre, contre. Surtout nous, les jeunes athlètes, ça nous affecte dans notre respiration et tu le remarques sur un terrain de basket. Du côté de la drogue et des autres substances, je suis totalement contre. Je ne prendrai jamais ça ! Je ne pense pas qu'une personne sportive doive en prendre. Ça nuit aux gens que tu aimes, aux gens qui t'entourent, ça te nuit à l'école, ça t'empêche d'être bien attentif, puis en bonne forme.

Sains et actifs : *Quel plan d'action t'es-tu donné pour t'aider et t'améliorer ?*

V.C. : Au début, quand j'ai commencé, je n'étais pas bonne dans le drible. Je me suis exercée tout l'été. Quand je vois que je ne suis pas bonne dans un domaine, je m'exerce en répétant mon mouvement chaque jour. Puis, je vais courir une fois ou deux par semaine avec un ami pour améliorer mon *cardio*. Il y a de plus en plus de nouvelles joueuses qui sont fortes, donc j'ai besoin d'un bon *cardio*. C'est surtout ça que je fais dans mon plan d'entraînement.

> « LA DISCIPLINE M'AIDE À CONTINUER À FAIRE DU SPORT, MÊME SI JE SOUFFRE D'ASTHME »

Sains et actifs : *Crois-tu que ton mode de vie actuel aura une influence sur tes projets d'avenir ?*

V.C. : Oui, parce que je prends conscience de ce que le sport fait dans ma vie, de ce que ça peut changer autour de moi. Si je n'étais pas allée dans le sport, je serais ailleurs et avec du monde différent. Ça m'aurait apporté d'autres points de vue sur la vie, mais certainement pas la même chose que ce que je vis en ce moment. D'un autre côté, je fais de l'activité physique et je suis en forme. J'ai comme but de travailler comme kinésiologue pour aider les gens qui ne sont pas en forme. Je trouve que, quand tu es en forme, tu as une meilleure vie. Ce n'est pas au moment où tu as un problème de poids que tu dois faire attention à ce que tu manges. Tu dois toujours le faire. Moi, je suis en forme et je n'ai pas trop besoin de surveiller mon alimentation.

À L'AFFICHE !

Sains et actifs : *Qu'est-ce que la pratique de ton sport t'a permis de découvrir et de comprendre sur toi ?*

V.C. : Ça m'a permis de réaliser qu'il faut vraiment avoir confiance en soi. Au basket, si tu n'as pas confiance en toi, tu ne vas pas attaquer ou dribler comme tu peux le faire. Tu ne prendras pas conscience que tu peux faire tout ce que tu sais faire. Par exemple, moi, je suis *point guard* et je dois diriger mes coéquipières. Ça me permet de faire preuve de leadership, d'aider les autres et d'annoncer les jeux. Ça m'aide à prendre confiance en moi. J'ai découvert aussi qu'il faut vraiment faire attention à ce qu'on dit. Il faut toujours être lié à nos coéquipiers, sinon ça empêche d'avoir un bon esprit sportif. S'il y a une chicane dans l'équipe, ça va paraître sur le terrain. Il faut faire comme si on était une famille. On a des défis à relever ou des obstacles à surmonter. Moi, j'avais comme but de jouer collégial AAA. Mon obstacle, c'est que je suis trop petite et pas assez costaude. Mais, pour accepter cet obstacle, je me dis que je peux quand même continuer à pratiquer ce sport en m'amusant et en ayant autant de *fun* que si j'étais au niveau AAA. Il faut toujours se dire qu'il y a quelque chose de positif derrière tout ça. Chaque fois qu'un défi ou qu'un obstacle se présente à toi, tu peux faire ce qu'il faut pour rester toi-même et penser positivement pour arriver à ton but.

Sains et actifs : *Crois-tu que la société doit encourager l'adoption d'un mode de vie sain et actif ?*

V.C. : Oui, parce que, premièrement, les gens feraient plus attention à eux. Ils fumeraient moins de cigarettes et ça améliorerait l'environnement, par exemple ça nous permettrait de mieux respirer. En plus, il y aurait moins de problèmes d'obésité. L'activité physique, ça apporte beaucoup de choses. Ça permettrait d'avoir moins de décès et de problèmes ou d'autres maladies. Je pense que notre environnement serait meilleur parce que les gens, au lieu de prendre leur auto, par exemple, pourraient faire de l'activité physique en se déplaçant à vélo ou à pied si ce n'est pas trop loin. Même si on habite à 10 minutes de marche de l'épicerie, aujourd'hui on y va en auto. Les gens prendraient conscience de ce qui les entoure.

« MÊME SI ON HABITE À 10 MINUTES DE MARCHE DE L'ÉPICERIE, AUJOURD'HUI ON Y VA EN AUTO »

Sains et actifs : *Peux-tu me décrire comment les autres (ex. : ta meilleure amie, ton entraîneur) te perçoivent ?*

V.C. : Je pense qu'ils me voient comme une bonne personne qui veut aider les gens et qui prend plaisir à être active. Ils ont l'impression que je veux être en bonne santé et que je fais tout pour l'être. Lorsque les gens me voient, chaque fois, ils me disent que j'ai l'air en bonne forme. Moi, je leur réponds : « Fais attention à ce que tu manges, et ne reste pas chez toi à ne rien faire, fais de l'activité physique ! »

Il y en a qui trouvent que j'ai une vie chargée et me disent : « On n'aura jamais le temps de se voir. Tu es trop occupée ! » Moi, je suis capable de planifier mes choses, mais, eux, ils ne comprennent pas tout le temps. Je gère bien mon horaire, ce qui me permet de voir mes amis, mais à des moments précis. Ils comprennent que je fais du sport et que c'est pour moi que je fais ça. Si je n'en faisais pas, je n'aurais pas autant de *fun* dans la vie.

> **« NE RESTE PAS CHEZ TOI À NE RIEN FAIRE, FAIS DE L'ACTIVITÉ PHYSIQUE ! »**

Sains et actifs : *Pourquoi est-il important d'avoir un mode de vie sain et actif ?*

V.C. : Faire de l'activité physique peut aider les gens. Je dirais que ça peut apporter beaucoup dans la vie. Ça te permet d'avoir confiance en toi, de t'amuser et de rencontrer de nouvelles personnes, de devenir moins gêné, plus sociable, et tout ça en étant en forme physiquement. Ça apporte le plaisir d'être avec les autres sur le terrain, la fraternité, les bonnes

Sains et actifs : *Qu'est-ce qui est le plus important pour toi dans la vie ?*

V.C. : Il y a deux choses : être en santé et m'amuser. Vivre sa vie au maximum et ne pas passer à côté des choses qu'on peut faire maintenant.

Sains et actifs : *Qu'est-ce qui nuit à un mode de vie sain et actif ?*

V.C. : Se penser supérieur aux autres ; toujours chercher des moyens de rabaisser les autres. Quelqu'un qui n'aurait pas confiance en lui se sentirait rabaissé et penserait que personne ne l'aime. Le contraire de l'activité physique serait de rester chez nous à ne rien faire. Ne pas avoir un bon esprit sportif peut nuire aussi beaucoup. J'ai déjà vécu ça et ce n'est pas agréable. Ce qui pourrait nuire aussi, c'est quelqu'un, une joueuse par exemple, qui ne s'implique pas, qui est là juste parce qu'elle est forcée d'être là, une joueuse qui se couche tard. Ceci affecte beaucoup l'équipe parce qu'on voit qu'elle n'est pas présente et pas en grande forme. Une joueuse qui fumerait [des joints], c'est pareil. Elle ne serait pas comme les autres. Elle changerait d'attitude en cinq secondes. Elle serait peut-être *full* gentille avec toi et, deux secondes plus tard, *full* bête.

relations, etc. Il y a toujours quelqu'un pour t'encourager. En fait, ça te permet d'avoir plus confiance et de vouloir continuer à jouer. Aussi, il y a l'entraide entre toutes les joueuses. C'est très important. On apprend à se connaître sur un terrain de sport. On apprend à jouer ensemble, on socialise avec les gens, et on est discipliné parce qu'on a un *coach* qui nous discipline. On doit être à l'écoute de tout le monde, de tous les membres de l'équipe.

2.2 Un environnement alimentaire obésogène

Pourquoi cette hausse de l'embonpoint et de l'obésité ? Selon des chercheurs, c'est parce que nous vivons dans un environnement *obésogène*, c'est-à-dire un environnement qui favorise le développement d'un excès de poids. Les caractéristiques de cet environnement se rapportent principalement à deux habitudes de vie :

l'activité physique et l'alimentation. Nous avons déjà parlé d'un environnement qui favorise la diminution de l'effort physique. Du même coup, l'offre de consommation d'aliments n'a cessé d'augmenter ces dernières années. Résultat : il nous est de plus en plus facile de manger au-delà de nos besoins nutritionnels.

À LA UNE !

Je vis dans un environnement obésogène si :

- **Je consomme des aliments denses en énergie contenant des sucres ajoutés (ex. : boissons gazeuses, jus de fruits avec sucre ajouté, etc.) et du gras (ex. : friture, malbouffe, plats congelés, restauration rapide, etc.); mes portions sont trop grosses.**

- **Je ne suis pas assez actif ou pas assez active physiquement dans mes loisirs et à l'école.**

- **J'occupe trop de mon temps libre dans des activités de loisir inactif (ex. : jeux vidéo, ordinateur et télévision).**

Source : Adapté de Paul BOISVERT, «L'augmentation de la prévalence de l'obésité de l'enfant est due à un environnement obésogène», présentation faite au Symposium sur l'obésité infantile, dans le cadre du 5e congrès de physiologie de l'exercice chez l'enfant, Montréal, du 26 au 29 octobre 2008.

2.3 Pourquoi les diètes font-elles engraisser ?

Quand on suit une diète pour maigrir, on coupe forcément notre apport quotidien en calories. Et cette coupe est, en générale, assez marquée, c'est-à-dire de l'ordre de 500 à 1000 calories par jour. Le hic, c'est que cette coupure calorique importante force l'organisme à passer en mode *écono* afin de réduire la dépense énergétique et d'assurer ainsi la survie des fonctions vitales. Ce mécanisme de protection est inscrit dans les gènes mêmes. Plus la coupure calorique est importante, plus le métabolisme ralentit. Par exemple, les diètes de moins de 1000 calories par jour peuvent provoquer, et ce, en très peu de temps, une chute de l'activité métabolique de 45 % ! Ceci n'est pas une bonne nouvelle, puisqu'un métabolisme plus lent signifie que tu dépenses moins de calories par jour. Quand ta diète prend fin, et ce, même si tu manges moins qu'avant, que crois-tu qu'il se produit ? Tu reprends assez rapidement le poids perdu, car ton métabolisme est devenu paresseux, comme le montre le cas de Rebecca dans le schéma ci-dessous. À l'opposé, quand tu pratiques des activités physiques pour perdre du poids et te sentir mieux, tu augmentes ta dépense calorique quotidienne et tu stimules ton métabolisme de base, qui devient ainsi plus élevé, comme en fait foi le cas de Lisa, qui s'est mise à faire du *cardio* et un peu de *muscu*.

Plus la coupure calorique est importante, plus le métabolisme ralentit

Le cas de Rebecca		Le cas de Lisa	
Avant son régime à 1400 calories par jour	Après 12 semaines de régime	Avant son programme d'entraînement	Après 12 semaines de *cardio* et de musculation

Métabolisme de base = dépense d'environ 1200 calories par jour

Métabolisme de base en baisse = dépense d'environ 1150 calories par jour = **SURPLUS DE 350 CALORIES PAR SEMAINE**

Métabolisme de base = dépense d'environ 1200 calories par jour

Métabolisme de base en hausse = dépense d'environ 1250 calories par jour = **DÉFICIT DE 350 CALORIES PAR SEMAINE**

Forum

Dix mythes sur la perte de poids

1. Boire beaucoup d'eau en mangeant aide à maigrir.

«*L'eau crée un effet de satiété et met à profit le travail des fibres*, note la nutritionniste, Julie DesGroseilliers. *En elle-même, l'eau ne fait pas maigrir. Mais, en boire au repas permet de ralentir la vitesse à laquelle on mange. En étirant ainsi la durée du repas, on laisse le temps aux signaux de satiété de se manifester. De plus, l'eau ne contient aucune calorie, contrairement aux autres boissons.* »

2. Pour perdre du poids, il faut éviter certaines combinaisons alimentaires.

«*Cette affirmation ne s'appuie sur aucune donnée scientifique*», tranche Catherine Lefebvre, diététiste au Centre de référence sur la nutrition humaine, Extenso. *Si vos enzymes digestives perdaient de leur efficacité à cause des combinaisons, les aliments mal digérés fourniraient* **moins** *d'énergie que prévu, pas* **plus***! D'ailleurs, les enzymes forment une équipe hors pair; les mélanges ne leur font pas peur!* »

3. Le pain fait engraisser.

«*Bien choisi, il se révèle au contraire un précieux allié pour perdre du poids*, objecte Catherine Lefebvre. *Ceux de grains entiers, riches en fibres, entraînent une longue digestion. Rassasiés rapidement, on mange donc moins.* »

«*Une pomme contient presque autant de calories qu'une tranche de pain de blé entier*, rappelle Julie DesGroseilliers. *Dit-on pour autant qu'elle fait grossir?* »

Ce qu'on y tartine, en revanche: beurre, fromages, pâtés… Ouille!

4. Le jeûne purifie le corps.

Se priver de nourriture n'a rien de bénéfique!

«*Les déchets de l'organisme sont naturellement éliminés dans les selles et l'urine*, explique Catherine Lefebvre. *Le jeûne, lui, provoque la dégradation des graisses, ce qui entraîne la production de substances toxiques qui peuvent avoir des conséquences graves sur la santé, en plus d'effets secondaires* (ex.: chutes de tension artérielle, fatigue, nausées, etc.).*» *

5. Le pamplemousse fait fondre la graisse.

«*Aucun aliment n'a ce pouvoir. Sinon, tout le monde mangerait des pamplemousses!*» dit Julie DesGroseilliers. *Les régimes au pamplemousse restreignent simplement l'apport calorique de façon draconienne, mais la perte de poids n'a rien à voir avec l'agrume lui-même.*

«*Et le retour aux anciennes habitudes annonce celui des kilos perdus*», déplore Catherine Lefebvre.

6. Les aliments faibles en gras aident à perdre du poids.

Certes, les produits *faibles en gras* sont généralement réduits en calories, mais ils contiennent parfois plus de sucre que l'original, ce qui comble partiellement la différence.

« *Et nous sommes souvent portés à en manger trop, juste parce qu'ils sont faibles en gras* », prévient Catherine Lefebvre.

7. La caroube est moins calorique que le chocolat.

En soi, c'est vrai : elle renferme moins de protéines et de gras que le cacao. Mais attention ! nous dit Catherine Lefebvre :

« *Les produits à base de caroube renferment souvent de l'huile de palme ou de coco, riche en gras saturés. En revanche, la poudre de caroube est riche en calcium et en fibres, ne contient aucune caféine et a naturellement un goût plus sucré que la poudre de cacao, ce qui permet de réduire le sucre dans les recettes.* »

8. Manger avant d'aller au lit fait engraisser.

« *Le moment choisi pour manger ne modifie pas l'apport énergétique des aliments* », affirme Catherine Lefebvre.

« *Mais, en soirée*, nuance Julie DesGroseilliers, *on mange souvent des aliments peu intéressants d'un point de vue nutritionnel* (ex. : biscuits, chocolat, crème glacée, croustilles, etc.) »

Voilà d'où vient ce surplus de calories !

9. Perdre du poids, c'est simple : un court régime très strict suivi d'un retour à la normale.

« *Un régime strict met le corps en état de survie, le privant des éléments essentiels à son bon fonctionnement*, explique Catherine Lefebvre. *Il intensifie alors sa fonction d'emmagasiner l'énergie fournie par les aliments, ce qui risque de causer une prise de poids supplémentaire après le retour à une alimentation normale.* »

10. Manger moins ou bouger plus, ça revient au même.

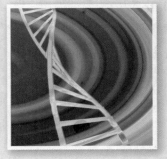

Erreur ! L'activité physique régulière accélère le métabolisme de base : même au repos, une personne active brûle plus de calories qu'une personne sédentaire.

« *La meilleure façon de perdre du poids*, rappelle Julie DesGroseilliers, *c'est de combiner une saine alimentation à la pratique d'activités physiques. Les personnes physiquement actives ont aussi plus de facilité à maintenir leur poids à long terme.* »

2.4 Des solutions pas compliquées pour bien manger

Tu as vu les pièges que te tend un environnement obésogène. Ta stratégie pour te procurer une alimentation équilibrée qui tient compte de tes besoins de croissance est simple : éviter les pièges le plus possible.

C'est simple, mais pas nécessairement facile à faire. Pour t'aider à déjouer les tentations de la malbouffe, voici quelques solutions pratico-pratiques pour bien manger.

✔ Adopter le Guide alimentaire canadien comme référence

Élaboré par des nutritionnistes, le Guide alimentaire canadien (GAC) te fournit une source de renseignements inégalée pour repérer, parmi la multitude d'aliments à ta disposition, ceux qui sont riches en nutriments et qui peuvent donner un coup de pouce à ton élan de croissance. Le GAC t'assure en effet un apport adéquat en certains minéraux associés à la santé osseuse, soit le calcium, le phosphore et le magnésium. Selon les données de l'Institut de la statistique du Québec, si tu es une fille, tu es plus à risque de manquer de fer, de zinc et de

folate. En suivant le Guide alimentaire canadien, tu combles *de facto* ces besoins.

Examine les tableaux qui suivent. Le premier te donne un aperçu des principales recommandations du GAC, le second, un exemple concret de menu type pour une fille et un gars de 16 ans.

POUR EN SAVOIR PLUS

Pour en savoir plus sur le contenu de ce guide, visite le site de Santé Canada au www.hc-sc.gc.ca.

Éviter les pièges le plus possible

Folate

Vitamine contenue dans les légumes à feuilles, nécessaire pour la reproduction et la multiplication cellulaire, la formation des globules rouges et pour l'absorption des vitamines B1, B2, B6, C, D et E.

LES PORTIONS QUOTIDIENNES RECOMMANDÉES PAR LE GUIDE ALIMENTAIRE CANADIEN

	Légumes et fruits	Produits céréaliers	Lait et substituts	Viandes et substituts
Filles 14-18 ans	7	6	3-4	2
Garçons 14-18 ans	8	7	3-4	3

Source : Santé Canada, *Bien manger avec le Guide alimentaire canadien*, 2007.

EXEMPLE DE MENU TYPE D'UNE JOURNÉE POUR UNE FILLE ET UN GARS DE 16 ANS

		Aliments	Nombre de portions du Guide alimentaire canadien				Huile et autres matières grasses ajoutées
			Légumes et fruits	Produits céréaliers	Lait et substituts	Viandes et substituts	
Déjeuner	Fille	1 tortilla de blé entier avec 15 ml (1 c. à table) de beurre d'arachide		2		½	
		1 banane	1				
		250 ml (1 tasse) de lait écrémé			1		
	Gars	1 1/2 tortilla de blé entier avec 30 ml (2 c. à table) de beurre d'arachide		3		1	
		1 banane	1				
		250 ml (1 tasse) de lait écrémé			1		
Collation	Fille	1 pomme	1				
	Gars	1 pomme	1				
Dîner	Fille	Sandwich à la salade de thon (30 g ou 1 oz de thon avec mayonnaise) préparé avec 2 tranches de pain de seigle		2		½	✔
		125 ml (½ tasse) de jus d'orange	1				
		125 ml (½ tasse) de carottes miniatures avec une trempette	1				✔
	Gars	Sandwich à la salade de thon (60 g ou 2 oz de thon avec mayonnaise) préparé avec 2 tranches de pain de seigle		2		1	✔
		250 ml (1 tasse) de jus d'orange	2				
		125 ml (½ tasse) de carottes miniatures avec une trempette	1				
Souper	Fille	500 ml (2 tasses) de salade d'épinards avec 125 ml (½ tasse) de fraises et kiwis et 60 ml (¼ tasse) d'amandes	2 1			1	
		1 bagel de blé entier		2			
		50 g (1½ oz) de fromage			1		
		250 ml (1 tasse) de lait écrémé			1		
	Gars	500 ml (2 tasses) de salade d'épinards avec 125 ml (½ tasse) de fraises et kiwis et 60 ml (¼ tasse) d'amandes	2 1			1	
		1 bagel de blé entier		2			
		50 g (1½ oz) de fromage			1		
		250 ml (1 tasse) de lait écrémé			1		
Total	F	Total des portions du Guide alimentaire canadien pour la journée	7	6	3	2	
	G		8	7	3	3	

Source : Santé Canada, *Bien manger avec le Guide alimentaire canadien*, 2007.

✔ Réduire la consommation d'aliments riches en acides gras saturés et en acides gras trans

Tu as lu à la page 57 pourquoi tu dois consommer de 25 % à 35 % de lipides par jour. Du gras, il en faut pour rester en santé. Par contre, les mauvais gras sont nuisibles, en particulier pour les artères, qui risquent de se boucher si tu en consommes trop.

On retrouve les mauvais gras (les acides gras saturés et les acides gras trans) dans les produits d'origine animale tels que le beurre et la viande, dans certaines huiles végétales telles que l'huile de noix de coco et l'huile de palme et dans les huiles végétales hydrogénées (autre appellation : *shortening végétal*), qui abondent encore dans plusieurs aliments préparés par l'industrie alimentaire comme les biscuits, les gâteaux, les biscottes, le beurre d'arachide industriel, certains types de barres tendres ainsi que dans la plupart des aliments frits.

En somme, un peu moins de frites, de poutines et de nourriture industrielle à base de gras hydrogéné et un peu plus de poisson, de beurre d'arachide naturel, de noix et d'huile d'olive, de canola ou de tournesol.

✔ Couper dans les aliments riches en sodium

Le sel (chlorure de sodium) t'est indispensable parce qu'il permet à ton corps de conserver l'eau, qui représente, à elle seule, de 55 % à 70 % de ton poids. Le sodium permet également aux muscles et aux nerfs de bien fonctionner. Ne t'inquiète pas. Tu ne manques sûrement pas de sodium, car les aliments sont habituellement assez riches en sel. Nous consommons en moyenne l'équivalent de 15 ml à 20 ml de sel par jour, alors que 5 ml suffiraient pour répondre à nos besoins en sodium.

Il faut dire qu'on retrouve du sel dans beaucoup d'aliments préparés et même dans les desserts. Si tu veux vérifier chez toi, ouvre la porte du frigo, ou regarde dans le garde-manger où se trouvent les conserves. Repère sur les étiquettes nutritionnelles le contenu en sodium de quelques boîtes de repas surgelés ou de boîtes de conserves (ex. : petits pois, soupe, tomates, etc.), du sac de croustilles et de la boîte de craquelins. Tu pourras constater alors que certains produits alimentaires contiennent plus 40 % à 60 % de l'apport quotidien recommandé en sel.

En fait, certaines soupes en sachet contiennent plus de 80 % de l'apport quotidien recommandé. Imagine la quantité de sel que tu ingères en consommant plusieurs de ces produits dans une journée !

Si tu surconsommes du sel une fois de temps à autre, ton organisme va très bien le tolérer. Toutefois, si cette surconsommation est routinière, tu risques éventuellement de faire de l'**hypertension artérielle**, comme cela se produit chez des jeunes dans la vingtaine.

✔ Éviter de manger devant un écran

Il est prouvé que si tu manges devant un écran de télé ou d'ordinateur, tu as de fortes chances de manger plus que si tu étais à la table.

✔ Fréquenter un peu moins souvent les chaînes de restauration rapide *(fast food)*

Manger de temps à autre dans ces restaurants ne fera aucun tort à ta santé. C'est lorsque tu y vas souvent que tu risques de consommer trop de mauvais gras, trop de sel et, bien sûr, trop de calories. Dans un repas rapide typique, tu peux facilement ingérer plus de 1500 calories... en moins de 20 minutes !

Voici quelques trucs pour réduire ta consommation de sel :

- Au lieu de saler les aliments d'un geste automatique, les goûter d'abord.
- Diminuer la consommation d'aliments préparés contenant beaucoup de sel (on trouve maintenant de plus en plus de ces aliments avec une teneur réduite en sel).
- Surveiller le contenu en sel de certaines eaux minérales.
- Remplacer le sel par d'autres assaisonnements.

Hypertension artérielle

Élévation anormale de la pression que le sang exerce sur les parois des artères.

Fais le Point ✓ ✓ ✓

1 Quels sont les macronutriments qu'on devrait retrouver dans une collation nutritive et équilibrée ?

_____

2 Consulte les étiquettes nutritionnelles de six collations. Remplis le tableau suivant afin d'évaluer les éléments nuisibles au bon fonctionnement de ton organisme, si tu en consommes en trop grande quantité.

Collation	Acides gras saturés (en g)	Acides gras trans (en g)	Sodium (en mg)	Sucre (en g)

3 Parmi les collations que tu as comparées, quelles sont les trois meilleures ? Place-les en ordre et justifie chacune de tes réponses.

1. _____
   _____
   _____

2. _____
   _____
   _____

3. _____
   _____
   _____

4 Coche l'énoncé qui correspond à ta consommation quotidienne de collations.

Aucune collation. ☐

Une à deux collations. ☐

Deux à trois collations. ☐

Plus de trois collations. ☐

5 Coche le ou les énoncés qui correspondent à ta situation.

Mes collations…

… ne sont jamais équilibrées. ☐

… sont trop riches en _____ ☐

… sont équilibrées à l'occasion. ☐

… sont toujours équilibrées. ☐

Supplément alimentaire

Produit souvent destiné aux personnes qui font du sport et vendu sous diverses formes (ex. : boissons, tablettes, comprimés, etc.).

2.5 L'effet des suppléments alimentaires sur le rendement de tes muscles

« Gagnez 12 kilos de muscles en 10 semaines ! »
« Maigrissez avec notre produit à base de caféine ! »
« Des études prouvent que notre produit réduit la fatigue musculaire et accélère la récupération ! »

On pourrait continuer ainsi à citer quelques-uns des slogans publicitaires utilisés par les promoteurs de **suppléments alimentaires**. Ces publicités pullulent sur le Web et plusieurs de ces produits sont même en vente libre dans les pharmacies, les supermarchés ou dans les centres de conditionnement physique privés.

Ces suppléments alimentaires aux vertus supposément miraculeuses… semblent se multiplier. Et cette publicité fonctionne parce qu'il y a des athlètes qui utilisent ces produits, convaincus qu'ils amélioreront leur performance.

EN VEDETTE

MARYSE TURCOTE :
une haltérophile qui ne prend pas de suppléments alimentaires

« Les gens sont toujours surpris d'entendre que je ne mange pas plus de deux à trois portions de viande par jour. Je ne crois pas utile d'ajouter des suppléments protéinés à mon alimentation. Je prends beaucoup de protéines dans les produits laitiers, que j'adore ! Je bois entre 500 ml et 1 L de lait par jour, je mange du yogourt, du fromage, et j'ai un faible pour la crème glacée… J'équilibre bien mon alimentation, ce qui m'assure une quantité adéquate de protéines. »

Source : Marielle LEDOUX, Nathalie LACOMBE et Geneviève ST-MARTIN, *Nutrition, sport et performance*, Géo Plein Air, 2006, page 122.

Maryse Turcotte (1975 - …).
Haltérophile, 11e dans la catégorie des 58 kg, aux Jeux olympiques d'Athènes, en 2004.

La consommation de suppléments alimentaires est-elle nécessaire chez les sportifs de haut niveau ?

Que pensent les nutritionnistes, les médecins et l'Agence mondiale antidopage de ces produits ? Voici le point de vue de la D^re Mireille Belzile, médecin associée à la formation continue de la Fédération des médecins omnipraticiens du Québec, paru dans la revue spécialisée, *Le Médecin du Québec,* en janvier 2007.

Les fabricants de suppléments font miroiter une augmentation de la masse musculaire, des gains ou des pertes de poids (parfois pour le même composé), une augmentation de l'énergie et de l'endurance, ou encore, une amélioration des capacités de récupération à la suite d'une blessure ou d'un surentraînement. Les renseignements fournis par les fabricants sont, en général, peu fiables.

La communauté scientifique n'appuie pas la majorité des allégations des fabricants de suppléments alimentaires. Les recommandations actuelles vont plutôt vers l'optimisation de l'alimentation et une hydratation adéquate, un entraînement bien dosé et des périodes de repos suffisantes.

Y A-T-IL DES RISQUES ASSOCIÉS À LA PRISE DE SUPPLÉMENTS ET DES QUANTITÉS MAXIMALES RECOMMANDÉES ?

Les études scientifiques fiables sont insuffisantes pour prouver que la prise de suppléments est sans danger. On ne connaît pas encore les effets de ces produits sur la performance, ni leurs effets physiologiques sur les athlètes et sur la population en général, ni les interactions médicamenteuses, ni les risques pour les personnes présentant un état pathologique non diagnostiqué. Pour ce qui est des quantités maximales de nutriments, le site de l'Association canadienne des entraîneurs contient un outil gratuit intéressant permettant de calculer les apports des différents nutriments présents dans les suppléments et de faire des comparaisons avec les apports quotidiens recommandés. Les limites maximales pour les adultes y sont données ainsi que les effets néfastes associés à de fortes doses.

EXISTE-T-IL DES SOURCES À JOUR SUR LA LÉGALITÉ DES SUPPLÉMENTS ?

Le Centre canadien pour l'éthique dans le sport est l'organisme chargé d'administrer le programme de contrôle antidopage au Canada. Il publie un document, intitulé *Livret de classification des substances,* mis à jour régulièrement selon les règles de l'Agence mondiale antidopage.

En somme, une alimentation équilibrée, des périodes de repos suffisantes, un entraînement bien planifié et le désir de se dépasser sont les ingrédients essentiels à la réussite sportive. Si des carences établies sont impossibles à corriger par l'alimentation seule, les suppléments pourront alors être utiles.

Fais le Point ✓✓✓

1. Le journal alimentaire : un carnet de bord

La meilleure façon de savoir si ton alimentation est équilibrée ou débalancée, c'est de tenir un journal alimentaire. Dans ce journal, qui est en quelque sorte un carnet de bord, tu notes tout ce que tu manges en une journée type : boissons, déjeuner, collations, dîner et souper.

Voici l'exercice qu'on te propose de faire. Tu vas remplir le journal alimentaire qui suit, en choisissant une journée type de la semaine et une journée de la fin de semaine (samedi ou dimanche). Si tu es physiquement très actif ou très active, tu peux ajouter une troisième journée pour te faire une idée plus juste de ton alimentation les jours où ton niveau d'activité physique est moins élevé. À la fin de la semaine, après avoir bien complété ton carnet de bord, analyse tes résultats et prends bien note de ce que tu souhaites modifier dans ton plan d'action, le cas échéant.

plan d'action p. 115

1er jour de semaine

Date : _____

Description du repas		Nombre de portions				
		Légumes et fruits	Produits céréaliers	Lait et substituts	Viandes et substituts	Huile et autres matières grasses
Déjeuner	=					
Dîner	=					
Souper	=					
Collations	=					
Nombre total de portions	=					

Source : Santé Canada, *Bien manger avec le Guide alimentaire canadien*, 2007.

2ᵉ jour de semaine

Date : _____

Nombre de portions

Description du repas		Légumes et fruits	Produits céréaliers	Lait et substituts	Viandes et substituts	Huile et autres matières grasses
Déjeuner	=					
Dîner	=					
Souper	=					
Collations	=					
Nombre total de portions	=					

Source : Santé Canada, *Bien manger avec le Guide alimentaire canadien*, 2007.

Jour de fin de semaine

Date : _____

Nombre de portions

Description du repas		Légumes et fruits	Produits céréaliers	Lait et substituts	Viandes et substituts	Huile et autres matières grasses
Déjeuner	=					
Dîner	=					
Souper	=					
Collations	=					
Nombre total de portions	=					

Source : Santé Canada, *Bien manger avec le Guide alimentaire canadien*, 2007.

③ LE SOMMEIL

Important, le sommeil ? Oui, très important même. Toutes les personnes qui ont passé de mauvaises nuits au cours de leur vie, c'est-à-dire presque tout le monde finalement, le savent. Il suffit d'une nuit écourtée pour que le réveil soit pénible. Que cela arrive une fois de temps en temps, le corps s'en remet assez facilement. Mais, si le manque de sommeil devient une habitude, la dette de sommeil s'accumule, ce qui n'est pas sans conséquences !

③.1 Le manque de sommeil

L'une des conséquences les plus immédiates, et aussi des plus visibles, du manque de sommeil est la somnolence pendant la journée. Si tu dors les yeux grands ouverts durant la nuit, tu as de fortes chances de cogner des clous en classe et d'avoir moins de concentration et d'écoute. En fin de compte, ce sont tes résultats scolaires qui piquent du nez. En fait, selon deux chercheurs américains, une réduction du temps de sommeil de 1 h à 1,5 h au cours d'une seule nuit engendre, dès la journée suivante, une diminution de la vigilance de plus de 30 %.

Mais, ce n'est pas tout. Le manque de sommeil :

- affecte sérieusement l'humeur des mauvais dormeurs, qui deviennent irritables et plus colériques ;
- affaiblit le système immunitaire (les personnes qui sont en déficit de sommeil produisent moins d'**anticorps**) ;
- réduit la production d'hormones essentielles pendant la croissance ;
- augmente le risque de dépression ;

- peut favoriser une prise de poids, puisque ne dormir que quatre heures pendant deux nuits consécutives augmente l'envie de consommer une nourriture riche en calories, ce qui peut entraîner une prise de poids ;
- serait la cause cachée de la majorité des erreurs humaines, qui provoquent des accidents, selon des chercheurs de l'Université McGill. L'explosion de la navette spatiale *Challenger,* en 1986, en est un bon exemple. D'après une commission d'enquête, la privation de sommeil y aurait contribué, même si elle n'en est pas la cause première. Les responsables au sol qui ont commis l'erreur fatale n'avaient dormi que deux heures la nuit précédant la catastrophe...

Bref, un déficit chronique de sommeil est une habitude de vie aussi néfaste pour la santé physique et mentale que la malbouffe ou le manque d'activité physique.

On dort de moins en moins

Voici quelques données sur le sommeil à méditer.

Le temps consacré au sommeil diminue fortement entre 12 et 17 ans, passant en moyenne de 10 heures à 7,5 heures par nuit. Ce qui est paradoxal puisque, d'un point de vue physiologique, les besoins en sommeil ne changent guère entre 12 et 17 ans. Alors, pourquoi cette baisse en cinq ans ? Parce que les cours commencent plus tôt et parce que, avec les années, les jeunes ont tendance à s'endormir plus tard.

Au début des années 1960, les gens dormaient en moyenne de 7 heures à 8,5 heures par nuit. Aujourd'hui, 50 % de la population dort moins de 7 heures par nuit pendant la semaine.

Au Canada, 35 % des femmes et 25 % des hommes éprouvent régulièrement des difficultés à s'endormir ou à maintenir leur sommeil. Ce pourcentage grimpe à 40 % chez les personnes qui subissent un stress élevé.

Anticorps

Substance de défense, fabriquée par le corps en présence de substances étrangères à l'organisme (ex. : microorganisme, substance chimique, etc.), nommées *antigènes*, avec lesquelles elle se combine pour en neutraliser l'effet toxique.

3.2 Le sommeil qui répare

Au fait, pourquoi au juste bien dormir est-il important pour ta santé physique et mentale ? Parce que, même si tu as l'impression qu'il ne se passe rien quand tu dors, ton corps se répare pendant le sommeil. En effet, le sommeil a une fonction réparatrice de première importance pour ta santé. Voici ce qu'on peut lire à ce sujet dans l'excellent dossier sur le sommeil sur le site de PasseportSanté.net :

« Quand on dort, toute une série de processus biochimiques et physiologiques se mettent en branle. Ils servent à réparer les dommages causés aux cellules et à l'organisme par nos activités normales de la journée. Ces réparations physiques surviennent surtout pendant les phases de sommeil lent profond. D'ailleurs, après une activité physique intense, comme pendant la grossesse, la croissance et à la puberté, la durée de sommeil lent profond tend à s'allonger. C'est aussi, et surtout, pendant la nuit que notre peau se répare : la division cellulaire de l'épiderme atteint son apogée à 1 h du matin. Le renouvellement des os se produit aussi majoritairement pendant le sommeil. Et diverses hormones contribuent à enclencher la réparation des tissus et la formation des muscles. Finalement, la période de sommeil lent contribue à l'élimination des toxines des systèmes respiratoire, cardiovasculaire et glandulaire. »

> **Le sommeil a une fonction réparatrice de première importance pour ta santé**

POUR EN SAVOIR PLUS +

Si tu veux en savoir plus sur de saines habitudes de sommeil, visite le site de PasseportSanté.net, www.passeportsante.net.

3.3 Sommeil 101 ou les 5 stades du sommeil

Que se passe-t-il lorsqu'on dort ? Il se produit plusieurs phénomènes que les spécialistes du sommeil ont classés en cycles ou *stades du sommeil*.

Il est important de se rappeler qu'un cycle de sommeil comporte cinq stades jouant un rôle précis. Chaque cycle de sommeil normal dure au total entre une heure et demie et deux heures. Ces stades se répètent de quatre à cinq fois par nuit.

LES CYCLES DU SOMMEIL

La nuit typique d'un adulte en santé

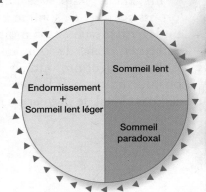

Source : Adapté de PasseportSanté.net [en ligne]. (Consulté le 20 janvier 2009.)

LES CINQ STADES DU SOMMEIL

STADE 1 : ENDORMISSEMENT

- Durée moyenne de 10 à 15 minutes.
- Conscience de ce qui se passe autour de soi.
- Signes physiologiques : les paupières se ferment, les muscles se relâchent.
- Sommeil fragile : réveil très facile.

STADE 2 : SOMMEIL LENT ET LÉGER

- Durée variable.
- Conscience des bruits extérieurs sans pouvoir distinguer précisément ce qui se dit ou se fait.
- Signe physiologique : la respiration devient plus calme.
- Sommeil fragile : réveil facile.

STADE 5 : SOMMEIL PARADOXAL

- Durée brève : 15 minutes.
- Sommeil complet pendant lequel on rêve.
- Signes physiologiques : le corps ne bouge pratiquement pas, mais le cerveau est très actif en enregistrant ce qu'il a appris durant la période d'éveil et en régénérant son énergie, les globes oculaires bougent rapidement sous les paupières lourdement fermées.
- Cette phase complète un cycle de sommeil : le dormeur ou la dormeuse s'éveille légèrement, mais si rien ne vient les distraire, ils retombent dans une phase d'endormissement (stade 1).

STADES 3 ET 4 : SOMMEIL LENT PROFOND ET SOMMEIL LENT TRÈS PROFOND

- Durée moyenne de 90 minutes.
- Inconscience de ce qui se passe autour de soi.
- Signes physiologiques : le corps ne bouge plus ou presque, le cerveau est en mode *relaxation*, l'organisme récupère au maximum durant cette phase et élimine la fatigue.
- Importance de ces deux stades : période de récupération maximale de l'organisme, sécrétion de l'hormone de croissance qui alimente l'organisme et favorise la cicatrisation en remplaçant les cellules usées.
- Stade préparatoire au sommeil paradoxal.

En général, les phases d'endormissement et de sommeil lent léger représentent la moitié des heures totales de sommeil. Le sommeil lent profond en constitue un quart et le sommeil paradoxal, le dernier quart.

Le réveil est facile et agréable s'il coïncide avec la fin d'un cycle ; il est pénible s'il survient pendant le sommeil paradoxal ou le sommeil profond.

③.④ Des solutions pour bien dormir

Tu as de la difficulté à t'endormir ou tu as des nuits agitées et parsemées de réveils fréquents ou, pire, tu te réveilles le matin de mauvaise humeur, comme si tu avais dormi sur un lit de clous ? Dans ce cas, les suggestions qui suivent s'adressent sûrement à toi !

COUCHE-TOI ET LÈVE-TOI LE PLUS POSSIBLE VERS LA MÊME HEURE.

C'est vraiment par là qu'il faut commencer : une régularité dans les heures de coucher et de réveil. Selon la théorie de l'horloge interne, notre corps a besoin d'un horaire régulier pour bien dormir. Si tu brises régulièrement le rythme de cette horloge, tu risques de t'endormir de plus en plus difficilement. Adopte un rythme sommeil-éveil et respecte-le le plus souvent possible, tant la semaine que la fin de semaine.

PRATIQUE UNE ACTIVITÉ PHYSIQUE RÉGULIÈREMENT, MAIS JAMAIS TARD LE SOIR.

Le manque d'activité physique nuit au sommeil réparateur, tandis que l'activité physique le favorise. La recherche démontre, en effet, que l'activité physique favorise le regroupement du sommeil en une seule période. Lorsqu'on est inactif ou inactive pendant la journée, les structures du sommeil et de l'éveil sont perturbées. Ainsi, une personne très sédentaire aura de courtes périodes de sommeil au lieu d'une période ininterrompue de six à huit heures de sommeil, comme c'est souvent le cas chez les personnes physiquement actives. Les chercheurs ignorent pourquoi l'activité physique nous aide à mieux dormir, mais les hypothèses abondent :

- L'activité physique engendre une fatigue physique et une détente mentale qui ne peuvent que favoriser un meilleur sommeil.
- L'activité physique relaxe les muscles tendus par le stress de la journée (c'est l'équivalent d'un bon bain chaud).
- L'activité physique diminue le niveau d'anxiété.

Enfin, d'autres recherches indiquent que l'activité physique pratiquée à la lumière du jour est le comportement qui permet le mieux d'améliorer le sommeil de la population en général.

ÉVITE DE TROP MANGER, DEUX HEURES AVANT D'ALLER AU LIT.

Si tu as envie de grignoter au cours de la soirée, prends une collation légère ou un verre de lait. Le lait contient du tryptophane, un acide aminé qui facilite le sommeil.

ÉVITE LES STIMULANTS COMME LE CAFÉ, LES BOISSONS ÉNERGISANTES RICHES EN CAFÉINE ET LES BOISSONS ALCOOLISÉES.

Ces stimulants du système nerveux central te transforment littéralement en chouette, le soir venu.

DORS DANS UNE CHAMBRE CONFORTABLE.

Ta chambre doit être tranquille, bien aérée, plutôt sombre et ni trop chaude ni trop froide.

NE TE COUCHE PAS TROP TÔT DU JOUR AU LENDEMAIN.

Tu ne t'endormiras pas avant un certain temps, puisque ton horloge interne est déphasée. Couche-toi plutôt progressivement de plus en plus tôt, par exemple de 15 à 20 minutes plus tôt durant la semaine, jusqu'à ce que tu atteignes une heure raisonnable, compte tenu de l'école le lendemain.

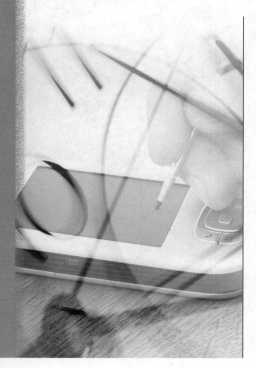

3.5 Sommeil et activité physique

L'absence d'activité physique entraîne les conséquences suivantes :

- Une diminution de la qualité et de la quantité de sommeil.
- Une diminution de la vigilance à l'état de veille.
- La mise en place d'un cercle vicieux menant à l'insomnie.
- Des problèmes de mémoire et de concentration.
- Des maux de tête plus fréquents.

À l'inverse, une activité physique régulière entraîne les bienfaits suivants :

- Un endormissement plus rapide.
- Des réveils nocturnes moins fréquents.
- Une augmentation du sommeil à ondes lentes (le plus récupérateur).
- Des stades de sommeil plus réguliers.
- Une augmentation de la durée de sommeil.
- Une meilleure concentration en classe.

Fais le Point ✓✓✓

Dans la section précédente, il est question d'une habitude de vie essentielle pour être en bonne santé : le sommeil.

Au cours de la prochaine semaine, remplis le journal suivant. Cela te permettra de prendre conscience de la qualité de ton sommeil. Tu pourras, par la suite, utiliser certains des trucs suggérés dans les pages précédentes pour que cette période importante de récupération quotidienne te soit vraiment profitable.

Jour	Heures du coucher et du lever	Nombre total d'heures de sommeil	Temps pris pour t'endormir	Nombre de réveils durant la nuit	À ton lever le matin, comment te sentais-tu ? En pleine forme ? Encore fatigué ou encore fatiguée ? Décris brièvement ton état.
Lundi					
Mardi					
Mercredi					
Jeudi					
Vendredi					
Samedi					
Dimanche					

④ LE STRESS

Le stress est donc neutre, ni bon ni mauvais, puisqu'il n'est que la réponse du corps à une situation donnée

⊙ **Agent stressant**

Stimulus, nocif ou non, qui provoque un état de stress dans un organisme vivant.

Les agents stressants peuvent être de nature physique (ex.: le froid), chimique (ex.: un poison), biologique (ex.: une bactérie), physiologique (ex.: une hémorragie) ou psychique (ex.: une émotion, qu'elle soit agréable ou désagréable).

Le stress a le dos large dans notre société et on lui attribue volontiers plusieurs maux. Pourtant, lorsque tu surmontes ton trac pour donner une superbe performance dans la pièce de théâtre montée par la troupe de l'école, tu es en état de stress. Et, quand tu sautes de joie en apprenant que tu as réussi un examen que tu pensais avoir échoué, tu es également en état de stress, c'est-à-dire que ton corps a été mis sous tension par un **agent stressant**, quel qu'il soit, et qu'il est prêt à réagir physiquement, au besoin.

Le stress est donc neutre, ni bon ni mauvais, puisqu'il n'est que la réponse du corps à une situation donnée (agent stressant), peu importe qu'il s'agisse d'une situation heureuse ou malheureuse, ou encore d'une situation d'urgence qui menace ta vie. Cette réponse est d'ailleurs inscrite dans nos gènes depuis des millénaires, ce qui a été fort utile pour la survie de l'espèce humaine. Faut-il rappeler que, pendant des siècles, les humains ont vécu dans un environnement hautement hostile et menaçant pour leur vie. Ils se faisaient attaquer par des bêtes aussi féroces qu'affamées, quand ce n'était pas par d'autres humains de mauvais poil ! Dans ces conditions, les humains d'alors n'avaient souvent d'autres choix que de se battre pour survivre ou de s'enfuir. L'expression *combats ou fuis*, qui décrit la réaction du corps au stress, vient de là.

4.1 La réponse du corps au stress

Concrètement, de quelle façon se traduit la réponse du corps à un agent stressant dans l'organisme ? Pour expliquer ce qui se passe, prenons l'exemple d'une voiture qui foncerait sur toi. Face à cette situation imprévue, dans laquelle tu te trouves en danger de mort, le corps subit une mise en tension extrême qui le prépare à l'action, c'est-à-dire à combattre ou à fuir. Tu devines que, dans ce cas-ci, ce sera la fuite qui prévaudra !

À l'instant même où tu vois la voiture, les terminaisons nerveuses des nerfs, connectées à tes divers organes, libèrent instantanément l'hormone numéro un du stress, l'**adrénaline**, qui :

- augmente ton rythme cardiaque et ta tension artérielle afin de livrer rapidement de l'oxygène à tes muscles ;
- dilate tes bronches pour faciliter ta respiration, et tes pupilles pour améliorer ta vision ;
- contracte tes vaisseaux sanguins superficiels (tes mains et tes pieds se glacent !) et

stoppe ta digestion afin d'amener le plus de sang possible à tes muscles en périphérie ;
- active tes glandes sudoripares pour rafraîchir ta peau (les sueurs froides, ça existe !), mais bloque tes glandes salivaires (ta bouche devient sèche, faute de salive) ;
- élève ton taux de sucre et de gras dans le sang (tes muscles en auront grand besoin).

Bref, à la vitesse de l'éclair, ton corps est fin prêt à réagir physiquement, te permettant ainsi d'éviter de justesse la voiture qui fonce sur toi. C'est la même alerte physiologique qui te permet de retirer vivement ta main qui a touché l'élément brûlant de la cuisinière. Comme tu peux le constater, le stress peut littéralement te sauver la vie en situation d'urgence, ou réduire l'étendue d'une blessure dans d'autres circonstances !

Bref, à la vitesse de l'éclair, ton corps est fin prêt à réagir physiquement

Adrénaline
Hormone sécrétée par les glandes surrénales, qui accélère le rythme cardiaque, augmente la tension artérielle et permet à l'organisme de s'adapter rapidement à des agressions extérieures.

Stress émotionnel

Réaction psychologique en réponse à une tension sur l'organisme.

Le stress émotionnel prend sa source à même la répétition des éléments qui façonnent notre quotidien et notre perception de celui-ci. Il entraîne des réactions émotives intenses chez l'individu, d'où son appellation.

4.2 Le stress émotionnel : de plus en plus répandu

Dans notre société, le combat ou la fuite s'expriment de moins en moins physiquement et de plus en plus psychologiquement. C'est que les agents stressants sont, plus souvent qu'autrement, d'ordre psychologique. Des exemples ? En voici quelques-uns : ton voisin ou ta voisine de classe, qui t'irrite au plus haut point ; l'accent mis sur la performance dans ton équipe de basketball ; des problèmes financiers qui perdurent ; des relations tendues avec des proches (mère, père, sœur, frère) ; le gérant de l'épicerie où tu travailles qui est toujours sur ton dos ; la préparation d'un exposé oral à présenter devant la classe alors que tu es très timide ; un retard dans la remise d'un travail scolaire important ; la séparation de tes parents ; un changement d'école au cours d'une année scolaire ; et même, une peine d'amour.

Nous vivons tous, en fait, sous le règne du **stress émotionnel**, un type de stress qui ne met pas ta vie en péril, mais qui te met les nerfs en boule !

Dans ces conditions, la réponse de ton corps ne débouche pas, la plupart du temps, sur une action physique du genre *combattre ou fuir*. Peux-tu imaginer la scène si, chaque fois qu'une situation ou une personne te stressait, tu réagissais physiquement de la sorte ? Cela pourrait te causer bien des ennuis, y compris des ennuis d'ordre juridique. Devant une situation de stress émotionnel, on encaisse et on se retient.

> **Devant une situation de stress émotionnel, on encaisse et on se retient**

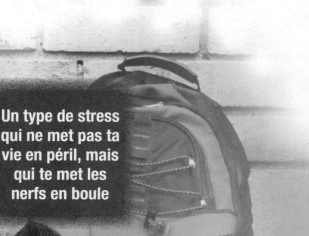

> **Un type de stress qui ne met pas ta vie en péril, mais qui te met les nerfs en boule**

La perception du stress fait toute la différence

Il y a une autre dimension très importante qui entre en ligne de compte lorsqu'on affronte un stress émotionnel : la perception qu'on a de l'agent stressant en question. Une situation peut être perçue comme étant menaçante, irritante ou, au contraire, comme étant stimulante.

Prenons un exemple concret que tu connais bien : passer un examen du Ministère. Cette situation est perçue par certains élèves comme étant stimulante. Elle provoque chez eux une réaction d'adaptation bénéfique qui contribue à augmenter leur concentration et, donc, leur performance à l'examen. Ils sont tendus, certes, mais alertes. On peut parler ici d'un stress ou d'une mise en tension du corps qui est bénéfique parce qu'elle peut faciliter la réussite de cet examen.

Pour d'autres, cependant, cette situation est perçue comme étant une menace qui peut entraîner un échec scolaire majeur. Cette perception négative accroît le niveau d'**anxiété** de ces élèves à un point tel que, même si certains ont beaucoup étudié, ils auront des trous de mémoire, des bouffées de chaleur, les mains moites, voire des palpitations cardiaques. Ils sont tendus, eux aussi, mais paralysés par l'anxiété. On peut parler ici d'un stress nuisible parce qu'il peut effectivement conduire à un échec scolaire.

Des personnes peuvent donc être exposées au même agent stressant et avoir des réactions tout à fait différentes, même en cas de stress intense. Selon les experts, c'est une question de *terrain*. Le terrain fait ici référence à l'hérédité, mais aussi aux expériences passées. Par exemple, une personne qui a vécu un événement traumatisant en bas âge (ex. : perte d'un parent ou survie miraculeuse à un écrasement d'avion) peut devenir une personne hypersensible au stress en général. Le problème alors, c'est qu'un stress aussi banal qu'un coup de klaxon, ou une assiette qui se brise dans un restaurant, déclenche un sursaut de peur, causé par la forte réponse de l'organisme. Heureusement, on peut se désensibiliser au stress, comme on le ferait pour le pollen, sauf que, dans ce cas, les techniques de relaxation (voir les pages 94 à 96) remplacent les antihistaminiques.

> Une situation peut être perçue comme étant menaçante, irritante ou, au contraire, comme étant stimulante

Anxiété

Sentiment d'un danger imminent et indéterminé, s'accompagnant d'un état de malaise, d'agitation, de désarroi et d'anéantissement. Elle est synonyme de grande inquiétude.

Elle engendre une attitude générale d'apathie, de recul devant les initiatives, de manque de confiance quant à l'issue d'une tâche, surtout dans le cadre social.

> Des personnes peuvent donc être exposées au même agent stressant et avoir des réactions tout à fait différentes, même en cas de stress intense

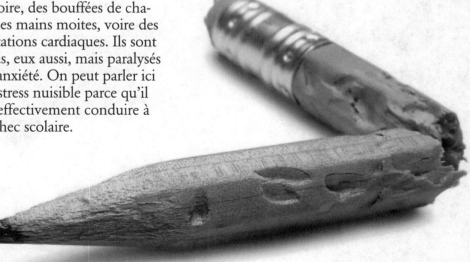

4.3 Trop de stress peut nuire à la santé

Pour certaines personnes, une situation stressante est une occasion de se surpasser, de relever un défi. Dans ce cas, le stress est certainement bénéfique pour la santé tant physique que mentale. Mais, pour d'autres, la même situation se traduit par un sentiment d'inquiétude, voire d'anxiété. Dans ces conditions, le stress peut être nuisible pour leur santé. C'est que leur corps subit une tension paralysante qui les empêche de trouver une solution au conflit psychologique.

Dans ces conditions, le stress peut être nuisible pour leur santé

Alors, les muscles se braquent et restent tendus des heures durant ; la digestion est laborieuse parce que l'estomac est noué ; la concentration en classe est à la baisse parce que le cerveau est préoccupé ; et même le sommeil tarde à venir.

Qu'une telle tension survienne de temps à autre ne pose pas de problème particulier ; tout le monde vit ce genre de situation. Toutefois, si elle dure des jours, elle peut finir par nous épuiser et nuire à la santé. Les symptômes suivants sont à surveiller, parce qu'ils indiquent une grande difficulté à contrôler son niveau de stress :

- Maux de tête fréquents.
- Épisodes de palpitations cardiaques.
- Sautes d'humeur quasi quotidiennes.
- Sommeil de plus en plus perturbé.
- Problèmes de peau (ex. : acné plus prononcée, **eczéma**).
- Susceptibilité accrue au rhume et à la grippe.

Eczéma

Affection cutanée caractérisée par des rougeurs, des vésicules suintantes et la formation de croûtes et de squames.

4.4 Des solutions antistress à la portée de tous

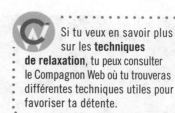
Si tu veux en savoir plus sur les **techniques de relaxation**, tu peux consulter le Compagnon Web où tu trouveras différentes techniques utiles pour favoriser ta détente.

Que peux-tu faire pour contrôler ton niveau de stress ? Commence d'abord par déterminer ton niveau de stress actuel, car tu n'es peut-être pas une personne stressée. Si c'est ton cas, cela ne veut pas dire que des solutions antistress ne te concernent pas, puisqu'on ne peut jamais prévoir le moment où une situation particulièrement stressante surgira. Si, au contraire, ton niveau de stress actuel est élevé, tu peux d'ores et déjà utiliser les solutions antistress suivantes pour alléger la tension psychique ou physique qui t'accable.

✓ DÉTENDS-TOI !

Apprends à te détendre en utilisant, au besoin, des techniques de relaxation (voir les pages 94 à 96).

✓ MAÎTRISE TES ÉMOTIONS NÉGATIVES.

Prends note des situations qui provoquent chez toi de la colère, de la frustration ou de l'anxiété. Demande-toi ensuite si ça vaut vraiment la peine de te mettre dans tous tes états pour cette raison. Autrement dit, relativise les événements ! À force de t'entraîner à maîtriser tes émotions négatives, tu réduiras petit à petit ton niveau de stress. Après un certain temps, devant une même situation qui te mettait en colère, tu sauras rester beaucoup plus calme. Tu pourras alors dire que tu as réussi à dédramatiser une situation apparemment stressante.

✓ RÉDUIS TON STRESS EN GROUPE.

Parle avec des personnes qui vivent les mêmes situations stressantes que toi, à l'école ou à ton travail, pour deux bonnes raisons :

- La tension causée par ces situations est alors répartie entre plusieurs personnes ; ça fait toujours du bien de ne pas se sentir seul ou seule face à un problème.
- Ensemble, il est plus facile de résoudre une situation qui crée un stress négatif.

✓ FAIS PREUVE D'ORGANISATION.

Si tu as de la difficulté à t'organiser, il est certain que tu cours après le stress car, un jour ou l'autre, tu finiras par craquer. Fais un petit ménage dans ton horaire de vie. Pour ce faire, procure-toi un agenda pour y noter ce que tu as à faire (n'en mets pas trop !) et établis tes priorités d'action.

✓ NE RESTE SURTOUT PAS DANS TON COIN EN CAS DE SURDOSE DE STRESS.

Si tu constates qu'une situation donnée te cause de plus en plus d'anxiété et de tension, n'hésite surtout pas à en parler à une personne en qui tu as confiance. Tu verras que le simple fait d'en parler avec une autre personne de ton entourage ou une ressource professionnelle agit comme une véritable libération, ce qui te permettra de franchir un grand pas vers la découverte d'une solution à ton problème de stress.

Autrement dit, relativise les événements !

4.5 L'activité physique et la santé mentale

On parle beaucoup des effets de l'activité physique sur les muscles, les os, le sang ou encore le cœur. Pourtant, le premier effet que tu ressens suite à la pratique d'une activité physique est de nature psychologique : tu ressens une grande détente alors que, une heure plus tôt, tu étais crispé ou crispée. En fait, plusieurs études ont confirmé que l'activité physique améliore la santé mentale.

Voici huit bienfaits de l'activité physique sur la santé mentale.

L'ACTIVITÉ PHYSIQUE AIDE À COMBATTRE L'APATHIE

L'activité physique te donne de l'énergie pour faire des choses, ce qui aide à combattre l'apathie associée à la dépression.

L'ACTIVITÉ PHYSIQUE DISTRAIT DES TRACAS

Tu avoueras qu'il s'agit d'un effet particulièrement intéressant quand tu as l'esprit constamment envahi par des pensées négatives. Faire de l'activité physique ou pratiquer un sport te ramène, chaque fois, les pieds sur terre. Et si l'activité physique est pratiquée avec d'autres, elle te rappelle également que les humains sont des êtres sociaux.

BIENFAITS DE L'ACTIVITÉ PHYSIQUE SUR LA SANTÉ MENTALE

IL SUFFIT D'UNE PETITE DOSE D'ACTIVITÉ PHYSIQUE POUR PRODUIRE UN GROS EFFET PSYCHOLOGIQUE

Une séance d'activités aérobiques de 30 minutes réduit l'anxiété passagère pendant 2 à 4 heures. C'est ce qu'on appelle *un bon rendement* ! L'efficacité de l'activité physique se rapprocherait de celle d'un tranquillisant. Les chercheurs ont aussi constaté que les personnes physiquement actives sont, en général, moins anxieuses et résistent mieux aux situations stressantes que les personnes sédentaires.

L'ACTIVITÉ PHYSIQUE COMBAT L'ANXIÉTÉ CHRONIQUE ET LES CRISES DE PANIQUE

Les recherches du Dr Peter Seraganian, professeur de psychologie à l'Université Concordia, à Montréal, nous apprennent que les personnes en grande forme physique supportent mieux que les personnes sédentaires le stress des examens et démontrent une plus grande capacité de concentration lorsqu'elles ont des problèmes abstraits à résoudre. C'est sans doute pour cette raison que Bobby Fischer, un des plus grands maîtres des échecs que nous ayons connu, faisait beaucoup d'activité physique à l'approche d'un tournoi. Les activités les plus efficaces contre l'anxiété sont les exercices aérobiques (ex. : cyclisme, jogging, natation, etc.) pratiqués pendant au moins 10 semaines, préférablement pendant 15 semaines.

L'ACTIVITÉ PHYSIQUE AUGMENTE LA SYNTHÈSE DE LA SÉROTONINE ET DE LA DOPAMINE DANS LE CERVEAU

Un niveau élevé de sérotonine, un neurotransmetteur, contribue notamment à améliorer l'humeur et la détente. Une insuffisance de dopamine, un autre neurotransmetteur, serait aussi associée à la dépression.

Or, l'activité physique augmente la synthèse de la dopamine. Toutefois, pour accélérer la synthèse de la sérotonine et de la dopamine, tu dois pratiquer des activités physiques dont l'intensité est de modérée à élevée.

L'ACTIVITÉ PHYSIQUE AMÉLIORE L'ESTIME DE SOI

La plupart des études rapportent une amélioration minimale mais suffisante de cette variable importante de la santé mentale. Les chercheurs croient que les changements biochimiques et physiques associés à la pratique régulière de l'activité physique (ex.: muscles plus fermes; neurotransmetteurs en hausse; oubli temporaire des pensées négatives à l'égard de soi-même; plus grande conscience de son schéma corporel; plus grande liberté de mouvement; réserves de graisse en baisse; etc.) peuvent expliquer cet effet.

BIENFAITS DE L'ACTIVITÉ PHYSIQUE SUR LA SANTÉ MENTALE

L'ACTIVITÉ PHYSIQUE TRIPLE LA SÉCRÉTION D'ENDORPHINES

Il est possible de ressentir l'effet des endorphines, des hormones antidouleur et euphorisantes de la même famille que la morphine, pendant et après une activité physique aérobique d'une durée de plus de 30 minutes, à une intensité représentant 70 % de sa consommation maximale d'oxygène. La quantité d'endorphines sécrétée pendant l'activité physique peut atteindre cinq fois les valeurs sécrétées au repos. Le taux d'endorphines est directement lié à l'intensité et à la durée de l'activité physique. Les sports d'endurance sont les plus endorphinogènes (ex.: le jogging, la natation, les randonnées en raquettes ou en ski de fond, les sports pratiqués à l'intérieur [de type *cardio training*: rameur, tapis de course], le vélo, mais aussi l'aérobique, le *step*, le tae boxe et la randonnée en montagne).

L'ACTIVITÉ PHYSIQUE PROCURE UN EFFET TRANQUILLISANT IMMÉDIAT

Une activité physique légère de quelques minutes, une petite promenade, par exemple, provoque une réduction marquée et instantanée de l'activité électrique dans les muscles, ce qui entraîne une baisse immédiate de la tension musculaire.

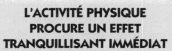

4.6 Les chasse-stress

Tu l'as vu, le stress est une mise en tension du corps. Lorsque cette mise en tension devient chronique et te crée des problèmes de santé, il est temps de réagir pour la diminuer coûte que coûte. Il existe plusieurs moyens mis à ta disposition pour y arriver. Les techniques suivantes pour réduire ton niveau de stress sont parmi les plus populaires en raison de leur efficacité. Choisis celle qui te convient le mieux. Tu peux en choisir plus d'une et les appliquer selon tes besoins.

LA RELAXATION PROGRESSIVE DE JACOBSON

Cette technique est fondée sur un paradoxe : on tend les muscles pour mieux les détendre ! Les exercices consistent en effet à contracter un groupe de muscles, par exemple les muscles de la jambe droite, puis à les relâcher complètement en se concentrant sur la sensation de détente qui envahit alors la région concernée. On passe ainsi en revue tous les muscles, y compris ceux du visage. Cette méthode, facile à maîtriser, se pratique habituellement en position couchée (de préférence sur le dos). Une séance complète de relaxation progressive peut durer plus de deux heures. Cependant, il existe des versions abrégées, d'une durée de 15 à 20 minutes.

LE TRAINING AUTOGÈNE DE SCHULTZ

Cette technique, inspirée de l'hypnose, vise à détendre le corps et l'esprit. Les exercices passifs, où domine la suggestion mentale, provoquent une sensation de lourdeur, de chaleur ou encore de fraîcheur dans tous les muscles. Pour obtenir l'effet désiré (lourdeur, chaleur ou fraîcheur), on prononce mentalement une phrase d'autosuggestion : «Je sens mon bras droit devenir lourd...» ; «Je sens mon front devenir frais...» ; etc. Bien exécuté, le training autogène alourdit et réchauffe réellement le corps. Des chercheurs ont même enregistré une hausse de 4 °C de la température de la main chez des sujets bien entraînés. Cette technique de relaxation se pratique en position couchée sur le dos, ou en position assise dans un fauteuil confortable. Une séance dépasse facilement 30 minutes, mais tu peux déjà obtenir une détente profonde après une séance de 5 à 10 minutes.

LA MÉDITATION

Cette technique est sûrement la plus simple des méthodes de relaxation. Pour la pratiquer, il te suffit de t'asseoir confortablement et de répéter mentalement pendant 10 à 20 minutes, de préférence les yeux fermés, un son tel que «Ommm», que les hindous appellent un *mantra*. Il existe plusieurs mantras, correspondant à plusieurs niveaux de méditation. Tu peux prononcer un mot ou visualiser une image qui t'aide à te détendre. L'important, c'est que tu sois bien à l'aise.

LES GYMNASTIQUES DOUCES

Les deux techniques les plus connues sont le yoga et le tai-chi.

Le yoga

C'est une des gymnastiques douces les plus connues au Québec. Le yoga intègre savamment l'art de respirer, l'art d'assouplir les muscles et l'art de méditer. Il existe une centaine de postures, appelées *asanas,* dans lesquelles tu dois respirer tantôt normalement, tantôt profondément. Chaque position doit être maintenue de 20 à 30 secondes. C'est pourquoi on parle souvent de *postures de yoga.* Si tu fais preuve de patience et de persévérance, tu pourras maîtriser les asanas les plus difficiles après deux ou trois ans de pratique assidue. L'effet physique le plus remarquable du yoga est l'étonnante souplesse des muscles qu'il procure.

Le tai-chi

Les adeptes du tai-chi sont continuellement en mouvement. Ils déploient lentement et en silence leurs bras et leurs jambes dans des directions bien précises, en une suite de gestes amples et circulaires. Le tai-chi donne une impression de grande légèreté, comme si on dansait au fond de l'eau. Même la respiration, parfaitement synchronisée avec les mouvements du corps, se fait au ralenti. Le tai-chi exige de maîtriser une série de mouvements enchaînés, exécutés lentement, et dans un ordre rigoureux. Il s'agit d'une gymnastique douce qui améliore l'équilibre dynamique, la posture, la flexibilité, l'endurance et la coordination musculaires. Une séance de tai-chi débute toujours par un échauffement (exercices légers). Après l'échauffement, sous la supervision d'un maître, on pratique divers enchaînements, qui deviennent par la suite des chorégraphies complètes. Au début, on doit respirer aussi naturellement que possible. Une fois les mouvements de base maîtrisés, on vise une respiration profonde.

La visualisation ou imagerie mentale

L'imagerie mentale consiste à simuler mentalement des actions réelles. Plus on la pratique, plus les images deviennent claires et précises. Par exemple, certains athlètes qui visualisent une course de ski de fond vont jusqu'à ressentir le froid et à entendre le bruit des skis sur la neige. On peut y recourir pour se préparer à une entrevue, à un exposé ou à une rencontre importante. Comment procéder? Rien de plus simple. Cale-toi dans un fauteuil confortable, les yeux fermés, et visualise le film de l'entrevue, de l'exposé ou de la rencontre. Imagine les questions qu'on te posera et les réponses que tu donneras. Par exemple, tu peux visualiser la façon dont tu seras assis ou assise devant tes interlocuteurs, ou t'imaginer en train de présenter ton exposé devant la classe.

L'activité physique

Tu es en présence ici d'un chasse-stress d'une redoutable efficacité. Il te suffit, en effet, de quelques minutes d'activité physique un peu vigoureuse pour ressentir une grande détente physique et mentale.

La respiration abdominale

Quand tu deviens trop stressé et tendu ou trop stressée et tendue, ta respiration est brève et superficielle. Il peut même t'arriver de bloquer ta respiration, parfois sans t'en rendre compte sur le moment. Pour lutter contre ce symptôme, prends d'abord deux ou trois grandes respirations. Tu te sentiras déjà plus détendu ou plus détendue. Évite toutefois les longs soupirs devant ton enseignant ou ton enseignante! Si tu veux obtenir une détente plus profonde, respire par le ventre, comme le font les amateurs de yoga. Une fois que tu maîtrises la technique de respiration abdominale, tu peux la pratiquer en position debout ou assise.

LES CHASSE-STRESS À L'ŒUVRE

INDICATEUR	EFFET DU STRESS	EFFET DES CHASSE-STRESS
Concentration	Diminution	Amélioration
Fatigue générale	Augmentation	Retour à la normale
Libido	Diminution	Augmentation
Maux de tête problématiques	Augmentation	Atténuation
Pouls au repos	Augmentation	Diminution
Tension artérielle	Augmentation	Diminution
Respiration	Accélération	Ralentissement
Sommeil	Perturbation	Facilité
Tension musculaire	Augmentation	Diminution
Troubles digestifs	Augmentation de leur fréquence	Diminution de leur fréquence

EN VEDETTE

Réflexion sur le stress de Sophie,
une adolescente de 16 ans

Dans le contexte de ma vie d'élève de 16 ans, voici les réflexions que j'apporte en ce qui concerne le stress dans ma vie de tous les jours. Il y a plusieurs sortes de stress. Il y a, entre autres, le stress normal, comme celui qui nous empêche de dormir avant un examen. Celui-ci est important pour bien fonctionner. Mais, il y a aussi le stress inutile, qu'on ressent sans trop savoir pourquoi, et qui nous fait souvent paniquer pour rien. Il existe plusieurs façons de le maîtriser. La première est d'oublier son stress en utilisant des techniques de relaxation. Pour ce faire, la technique des respirations lentes et profondes avant de se coucher est de mise, ou encore la pratique du yoga, ou même du tai-chi, peut servir pour se calmer.

Par contre, lorsqu'une personne est trop stressée ou n'a pas assez confiance en ces techniques, la meilleure méthode est encore la canalisation du stress. Par exemple, au lieu de rester dans son lit à attendre que le sommeil nous tombe dessus, on peut employer ce temps de manière constructive, comme en étudiant.

Peut-être sembleras-tu ne rien comprendre à ce que tu lis, mais le lendemain matin, tu te rappelleras des choses dont tu ne t'étais jamais souvenu. Tu peux aussi transformer ton stress en énergie, par exemple en t'impliquant dans des associations scolaires ou communautaires. Et, si tu trouves que tu ne bouges pas assez, joins les rangs d'une équipe sportive, ou commence à t'entraîner, ce ne sera que bénéfique pour ta santé physique, et tu dormiras beaucoup mieux le soir venu. Bien sûr, tu dois être capable de gérer ton stress, sinon tu t'en mettras trop sur les épaules et tu ne sauras bientôt plus où donner de la tête. Tu dois également savoir quand oublier ton stress, car si tu canalises toujours ton stress en énergie, tu n'auras plus de temps pour relaxer et ça pourrait te transformer en bourreau de travail. Pour finir, n'oublie pas qu'apprendre à gérer son stress, c'est aussi apprendre à se gérer soi-même.

Source : Adapté de l'Association canadienne pour la santé mentale, division du Québec, *Coffre à outils 2008 : Être bien dans sa tête, ça regarde tout le monde* [en ligne, p. 11]. (Consulté le 19 mars 2009.)

1 Explique dans tes mots ce qu'est le stress émotionnel.

_____

_____

_____

2 Quelle est la perception que tu peux avoir d'une situation de stress émotionnel ?

_____

_____

3 Énumère les symptômes d'un niveau de stress trop élevé, qui dure plusieurs jours.

_____

_____

_____

4 LE CAS DE PAUL

Paul, un élève de 5e secondaire, a de la difficulté dans ses cours d'anglais. Il participe peu en classe, car il a peur qu'on se moque de lui. Lorsque son enseignante lui annonce qu'il devra présenter un projet individuel, devant la classe, le processus s'enclenche. Le soir, Paul a du mal à s'endormir. Il ne pense qu'à ça… Quel type de projet pourrait-il faire ? Les autres élèves vont-ils rire de lui ? Sera-t-il à la hauteur ? Plus la date d'échéance approche, plus il est de mauvaise humeur. Petit à petit, il fuit ses amis. Il a constamment des maux de tête. Quelques jours avant sa présentation, il décide de…

a) As-tu déjà vécu une situation semblable ? Décris brièvement cette situation et ta réaction.

_____

_____

_____

_____

b) Dans la situation de Paul, que ferais-tu pour diminuer ton niveau de stress ?
Coche un ou plusieurs énoncés.

Faire davantage d'activité physique. ☐

Utiliser une technique de relaxation. ☐

Relativiser la situation pour maîtriser mes émotions négatives. ☐

Parler à des personnes qui vivent la même situation stressante que moi. ☐

Établir mes priorités d'action en organisant mon horaire. ☐

Me confier à une personne en qui j'ai confiance. ☐

Autre : _____ ☐

5 LE CAS D'AMÉLIE

Amélie fait partie de l'équipe de volleyball de son école, une des trois premières équipes du circuit. Après un excellent début de saison, son équipe a commencé à perdre. Aujourd'hui, les joueuses ont subi une neuvième défaite de suite. Dans la chambre des joueuses, l'ambiance est tendue : les filles se font des reproches mutuellement. Plus la saison avance, plus elles craignent de commettre des erreurs. Nerveuses, les joueuses sont incapables de se concentrer. Le plan de match de l'entraîneur ne passe plus. Comme elles aimeraient mettre fin à cette mauvaise séquence ! L'entraîneur décide donc de les rencontrer afin de leur proposer…

a) As-tu déjà vécu une situation semblable ? Décris brièvement cette situation et ta réaction.

_____

_____

_____

_____

_____

_____

b) Si tu vivais une telle situation, que ferais-tu pour diminuer ton niveau de stress ?
Coche un ou plusieurs énoncés.

Faire davantage d'activité physique. ☐

Utiliser une technique de relaxation. ☐

Relativiser la situation pour maîtriser mes émotions négatives. ☐

Parler à des personnes qui vivent la même situation stressante que moi. ☐

Établir mes priorités d'action en organisant mon horaire. ☐

Me confier à une personne en qui j'ai confiance. ☐

Autre : _____ ☐

5 D'autres comportements
SOUS INFLUENCE

Les vendeurs de potions miraculeuses et de substances stimulantes pour le corps et l'esprit existent depuis belle lurette. Il faut dire qu'ils ont toujours trouvé des oreilles attentives pour les écouter et des gens, tantôt curieux tantôt désespérés, pour acheter leurs produits. Il y a à peine 150 ans, certains de ces vendeurs annonçaient même la mise au point d'un sirop aux vertus magiques qui guérissait tout, bien entendu. Tu imagines bien que si cela avait été vrai, les maladies auraient disparu de ce monde. Bien sûr, ça n'a pas été le cas.

Aujourd'hui, les vendeurs de fontaines de jouvence existent toujours, mais ils ont une allure *high tech* qui leur donne un air crédible. C'est qu'ils ont envahi les médias : le cinéma, la musi-que, les magazines pour les jeunes, la télévision et, surtout, Internet. Comme les médias, omniprésents, atteignent presque tout le monde, leur auditoire s'est considérablement élargi depuis l'époque de la roulotte commerciale tirée par des chevaux fatigués.

5.1 L'influence des médias sur nos comportements

Non seulement les médias ont-ils un large public, mais ils influencent de plus en plus nos comportements, et pas nécessairement pour le mieux. Après avoir compilé les résultats de 173 études dédiées à ce thème et publiées depuis 1980, des chercheurs américains le confirment haut et fort. Selon l'Agence France-Presse, qui rapportait les résultats de cette compilation le 3 décembre 2008, c'est l'obésité et le tabagisme qui détiennent le palmarès des problèmes engendrés par une grande exposition aux médias. Un lien entre obésité et consommation de médias a en effet été établi dans 86 % des 73 études portant sur la question. Aussi, 88 % des 24 études portant sur le tabagisme ont montré un lien similaire. Sur les 10 études portant sur la consommation d'alcool et les médias, 8 études ont établi un lien significatif, et ce lien était relevé dans 75 % des études portant sur la consommation de drogues.

Les adolescents sont particulièrement exposés à la sollicitation médiatique, et pour cause. Puisqu'ils consacrent plus de 40 heures par semaine aux médias électroniques (télévision et Internet surtout), contre 17 heures à leurs parents et 30 heures à l'école. D'ailleurs, on parle de plus en plus d'une nouvelle dépendance : la cyberdépendance (voir la page 107).

Nom : Groupe : Date :

REGARD CRITIQUE

a) Lis les slogans ci-dessous et encercle ceux qui te rappellent un produit.

- LAISSEZ FONDRE LES BULLES.
- Vivifie le corps et l'esprit.
- Le réseau le plus fiable au Québec.
- Simplement vous. Simplement belle.
- C'est ça qu'j'aime.
- L'affaire est ketchup!
- JE PRÉFÈRE LE GOÛT DE…
- J'CRAQUE POUR TOI MON COCO!
- Fais-le!
- Quand c'est OK c'est…
- MONTE LE SON.
- TIENS TON BOUTTE.
- UN VERRE DE … C'EST BIEN, MAIS DEUX, C'EST MIEUX…
- Des tonnes de copies.
- PENSEZ FRAIS. MANGEZ FRAIS.
- On entraîne des résultats.
- GADOUE, L'ORIGINALE.
- Le temps d'un tête à tête.
- TOUJOURS FRAIS. TOUJOURS VRAI.
- La perfection au masculin.

b) D'après toi, es-tu visé ou visée par les campagnes publicitaires de ces produits? Donne un exemple.

____

____

____

____

c) Au cours du dernier mois, as-tu été tenté ou tentée d'acheter un produit à cause de l'influence d'une publicité? Explique ta réponse.

OUI ☐ NON ☐

____

____

____

____

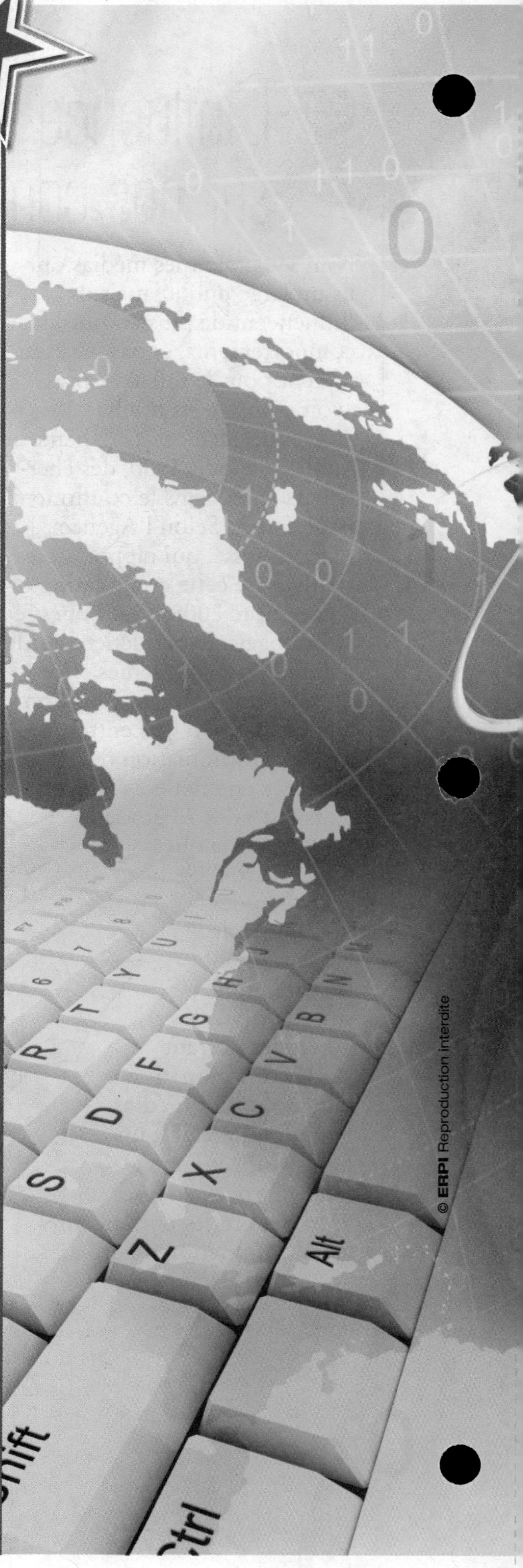

5.2 Caféine, créatine et cie

Il n'y a pas que les médias qui tentent de t'influencer, il y a aussi les centres d'entraînement privés que tu fréquentes peut-être. On retrouve, dans ces lieux, des vitrines farcies de produits qui te promettent des muscles plus gros, une perte de poids sans effort ou une performance physique, sinon sexuelle, améliorée.

Ces produits dont on ignore souvent la provenance et le contenu exacts sont-ils utiles, efficaces et, surtout, sans danger pour ta santé? Voyons cela.

Acide aminé

Composé chimique possédant les 2 fonctions amine et acide; l'une des 20 substances organiques naturelles qui servent à la formation des protéines.

La caféine

On trouve de la caféine à l'état naturel dans les fèves de café et de cacao, les feuilles de thé et les noix de kola. C'est un des plus anciens produits dopants connus. La caféine stimule la circulation sanguine (hausse du pouls et de la tension artérielle) et le système nerveux central, ce qui accroît l'attention et la concentration. La caféine retarderait aussi l'apparition de la fatigue musculaire chez certains athlètes. Le problème avec la caféine, ce sont les effets secondaires possibles : insomnie, fatigue, irritabilité, palpitations cardiaques, tremblements. Avec la vogue actuelle des boissons énergisantes hyper caféinées, il y a un risque de surdose quotidienne. Certaines cannettes contiennent en effet plus de 150 mg de caféine! Tu bois 2 ou 3 cannettes de ce type en une journée et tu viens d'ingérer plus de 300 mg de caféine; 3 fois plus que la quantité maximale quotidienne recommandée par Santé Canada.

La créatine

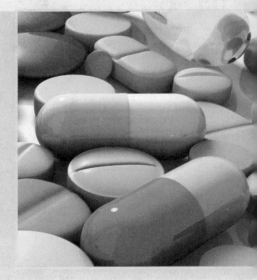

La créatine est un **acide aminé** riche en énergie, qui est présent dans le muscle sous la forme de phosphocréatine (CP). Sa présence dans l'organisme est assurée, notamment, par la consommation de viande, de volaille et de poisson, qui sont d'excellentes sources de créatine. Son rôle? Contribuer au renouvellement des réserves d'adénosine triphosphate (ATP), une molécule haute en énergie qui est, en quelque sorte, le carburant du moteur musculaire. La créatine, en refaisant le plein d'ATP dans les muscles, leur permet de fournir un effort intense plus longtemps. Hélas! les réserves de créatine dans les muscles sont limitées et, une fois épuisées, la fatigue musculaire se fait rapidement sentir. C'est là qu'interviennent les suppléments de créatine; ils visent à augmenter les réserves de cet acide aminé dans les muscles.

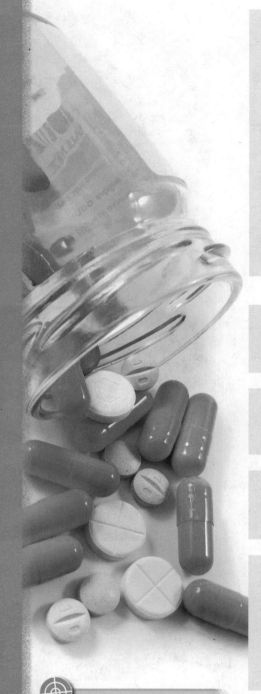

Qu'ils soient en poudre, en tablettes, en capsules ou liquides, ces suppléments en vente libre sont-ils efficaces pour autant ? La surconsommation de créatine augmente les réserves d'énergie dans les muscles. Par exemple, l'ingestion de 20 g à 30 g tous les jours, pendant 2 semaines, augmente effectivement les réserves de créatine intramusculaire jusqu'à 30 %. En grossissant ainsi son réservoir d'énergie, n'importe qui peut faire des efforts intenses plus longtemps. D'ailleurs, la recherche a démontré que c'était bel et bien le cas. Pour un ou une athlète qui fait de la compétition, c'est tentant, mais si tous les athlètes qui compétitionnent entre eux en prennent, personne n'est avantagé !

Bien que la prise de suppléments de créatine ne semble pas aussi nuisible pour la santé que, par exemple, la consommation de stéroïdes anabolisants, elle présente des inconvénients qui doivent être pris très au sérieux.

1ᵉʳ INCONVÉNIENT. Comme les suppléments de créatine permettent de faire plus d'activités physiques intenses, il y a un risque accru de blessures musculaires ou ligamentaires.

2ᵉ INCONVÉNIENT. La prise de fortes doses de créatine (de 20 g à 30 g par jour pendant plus de 2 mois) augmente les risques de crampes musculaires, de nausées et de troubles digestifs.

3ᵉ INCONVÉNIENT. L'ingestion de grandes quantités de créatine nécessite de boire de l'eau fréquemment pour prévenir la déshydratation, puisque cet acide aminé attire l'eau avec lui dans les muscles.

4ᵉ INCONVÉNIENT. L'ingestion de grandes quantités de créatine crée également une surcharge de travail pour les reins. La quantité de créatine qui peut être emmagasinée dans les muscles est limitée et le surplus prend le chemin des reins, qui doivent l'éliminer. Elle peut ainsi contribuer au développement de problèmes rénaux. C'est donc déconseillé aux personnes ayant un problème d'insuffisance rénale ou qui ne consomment pas assez d'eau.

5ᵉ INCONVÉNIENT. On ignore, pour l'instant, si la consommation prolongée de suppléments de créatine est dangereuse pour la santé. Rappelons que la recherche a mis des années avant de conclure que les stéroïdes anabolisants étaient nuisibles à la santé. En sera-t-il de même pour la créatine ? Le **principe de précaution** devrait donc prévaloir ici.

⊕ Principe de précaution

Principe de biosécurité invoqué face à un possible danger pour la santé humaine, animale ou végétale, ou pour la protection de l'environnement, dans le cas où les données scientifiques ne permettent pas une évaluation complète du risque.

LES PROTÉINES EN POUDRE

Est-il utile de consommer de tels suppléments lorsqu'on est physiquement très actif ou très active ? La réponse est *non*. À ton âge, soit plus ou moins 15 ans, tes besoins quotidiens en protéines sont, grosso modo, de 1,5 g/kg de poids lorsque tu pratiques des activités physiques qui exigent de la vigueur musculaire (ex. : danse, hockey, musculation, ski alpin, tennis, etc.). Si tu pèses 70 kg, tu as donc besoin de 105 g à 110 g de protéines par jour

(70 kg × 1,5). Si tu manges bien, ton apport quotidien en protéines suffit amplement pour combler ces besoins.

Si, malgré tout, tu crains de ne pas consommer assez de protéines, deux ou trois pilons de poulet ou une boîte de thon t'en apporteront des dizaines de grammes supplémentaires avec, en prime, du fer, du zinc, des vitamines du complexe B, du calcium et plusieurs autres nutriments que ne te fournissent pas les suppléments.

LES STÉROÏDES ANABOLISANTS

Il s'agit ni plus ni moins de testostérone synthétique qui se présente sous la forme de comprimés, de capsules, de solutions à injecter et de crèmes ou de gels que l'on applique sur la peau. La testostérone est cette hormone qui accélère la fabrication du

tissu musculaire. La testostérone synthétique vise donc à fabriquer du muscle. Dans les faits, la vente de stéroïdes anabolisants est interdite au Canada, et son usage prolongé risque d'endommager sérieusement le foie et le cœur.

Il existe, bien sûr, beaucoup d'autres produits dopants, ou supposément dopants. Si tu t'entraînes intensément ou que tu fais partie d'un club sportif d'élite, consulte le site de l'Association canadienne des entraîneurs sous l'onglet Nutrition, où tu trouveras des renseignements sur les produits dopants ainsi que sur les suppléments alimentaires. Tu peux également te référer aux tableaux suivants, mis au point par cet organisme, pour obtenir des sources d'énergie alimentaires pouvant te permettre de répondre à tes besoins nutritionnels.

DES SOURCES D'ÉNERGIE À FORTE TENEUR EN GLUCIDES

Produit	Glucides	Protéines	Lipides
1 barre aux figues (16 g)	11 g	1 g	1 g
1 tranche de pain de céréales mélangées avec 5 ml de confiture	12 g 4 g	3 g Trace	1 g Trace
1 bagel ordinaire (10 cm)	48 g	9 g	1 g
175 g de yogourt avec fruits au fond (de 1 % à 2 % de M.G.)	31 g	7 g	3 g
Ta barre de céréales ou énergétique préférée			

Source : *Association canadienne des entraîneurs* [en ligne]. (Consulté le 18 mars 2009.)

DES PRODUITS OU ALIMENTS À FORTE TENEUR EN PROTÉINES

Produit	Glucides	Protéines	Lipides
75 g de bifteck de surlonge maigre	0 g	23 g	4 g
75 g de poitrine de poulet sans peau	0 g	23 g	3 g
250 ml de lait (1 % de M.G.)	12 g	8 g	3 g
125 ml de lait écrémé	19 g	13 g	Trace

Source : *Association canadienne des entraîneurs* [en ligne]. (Consulté le 18 mars 2009.)

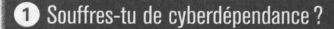

❶ Souffres-tu de cyberdépendance ?

Quand l'ordinateur occupe une place de plus en plus grande dans notre vie, il peut devenir un véritable objet de dépendance que les experts appellent la *cyberdépendance*. Il s'agit d'une forme de toxicomanie moderne. Lorsqu'on reste collé ou collée de façon exagérée à son écran, il arrive même qu'on en oublie de manger et qu'une perte de poids importante en soit la conséquence.

En se basant sur l'étude de joueurs pathologiques, la psychologue américaine, Kimberly Young, a mis au point un court questionnaire qui permet de détecter les cyberdépendants, ou les personnes sur le point de le devenir. Fais toi-même le test qu'elle a élaboré.

	OUI	NON
a) Te sens-tu préoccupé ou préoccupée par Internet (en pensant sans cesse à ta dernière connexion et en anticipant toujours la prochaine) ?	☐	☐
b) Éprouves-tu le besoin de surfer sur Internet pendant des périodes de plus en plus longues avant d'être rassasié ou rassasiée ?	☐	☐
c) As-tu tenté à plusieurs reprises de limiter ou de contrôler ton temps passé sur Internet, sans succès ?	☐	☐
d) Te sens-tu épuisé ou épuisée, déprimé ou déprimée ou simplement irritable lorsque tu essaies de limiter ou de stopper ta fréquentation du Web ?	☐	☐
e) Restes-tu sur Internet plus longtemps que ce que tu avais prévu ?	☐	☐
f) As-tu mis en danger une relation ou ton rendement scolaire à cause de l'usage d'Internet ?	☐	☐
g) As-tu déjà menti à ta famille ou à d'autres personnes afin de passer plus de temps sur Internet ?	☐	☐
h) Utilises-tu Internet comme un moyen de t'évader de tes problèmes quotidiens, ou pour échapper à des sentiments négatifs (ex. : anxiété, culpabilité, déprime, solitude, etc.) ?	☐	☐

Si tu as répondu *oui* à plus de trois de ces questions, peut-être es-tu déjà cyberdépendant ou cyberdépendante. La solution ? Elle est simple, mais pas nécessairement facile à appliquer : réduire le temps que tu passes sur Internet si cela nuit à ta vie sociale, à ton rendement scolaire, ou même à ta santé.

❷ Éprouves-tu une dépendance aux jeux vidéo ?

Un test a été mis au point par le Dr Mark Griffiths de l'Université de Nottingham Trent, en Angleterre, pour te permettre de reconnaître rapidement si tu souffres d'une dépendance aux jeux vidéo. Coche les cases correspondant à des comportements que tu reconnais chez toi.

Je joue à un jeu vidéo presque tous les jours.	☐
Je joue souvent pendant de longues périodes de trois ou quatre heures.	☐
Je joue pour l'excitation que ça me procure.	☐
Je suis de mauvaise humeur quand je ne peux pas jouer.	☐
Il m'arrive de délaisser mes activités sociales et sportives pour jouer.	☐
Je joue parfois au lieu de faire mes devoirs.	☐
Je n'arrive pas à diminuer mon temps de jeu.	☐

Si tu as répondu *oui* à plus de quatre de ces questions, tu joues probablement trop aux jeux vidéo. Tu devrais en parler à tes parents ou à toute autre personne en qui tu as confiance pour t'éviter de développer un réel problème qui pourrait nuire à ta santé et à ton bien-être.

Ton plan
D'ACTION

Le but visé par la troisième compétence de ton cours d'éducation physique et à la santé est clair : *adopter un mode de vie sain et actif.* Pour t'aider à atteindre ce but, et ce, de manière concrète, tu dois **élaborer** un plan d'action visant deux grands objectifs :

1. La pratique obligatoire, à l'école ou ailleurs, d'activités physiques liées aux deux autres compétences de ton programme d'éducation physique et à la santé, soit *agir* et *interagir dans divers contextes de pratique d'activités physiques.*
2. Le maintien ou l'acquisition de saines habitudes de vie.

Ce plan d'action devra être appliqué pendant au moins huit semaines.

Pour concrétiser ce projet, voici une démarche qui t'aidera à élaborer ton plan d'action, à l'appliquer, puis à l'évaluer.

① L'élaboration de ton plan d'action

1.1 Volet Activité physique

À cette étape, dans ton plan d'action, tu dois obligatoirement prévoir au moins 3 séances d'activités physiques par semaine, d'une durée minimale de 20 à 30 minutes et d'une intensité modérée à élevée. Cette quantité d'activités physiques vise, en particulier, à améliorer ou à maintenir ton niveau d'endurance cardiovasculaire. Tu peux en faire plus, mais pas moins !

Ton premier objectif, dans le volet Activité physique, est donc en quelque sorte prédéterminé. Tu devras en formuler un deuxième en lien avec un autre aspect de ta condition physique ou de ta pratique régulière d'activités physiques.

Objectif 1 : Améliorer ou maintenir ton endurance cardiovasculaire.

Reporte ici le résultat obtenu lors de ton test d'endurance cardiovasculaire (voir les pages 30 ou 31) :

Nom du test _____ **Résultat** _____

Endurance cardiovasculaire en fonction de ce résultat :

TRÈS ÉLEVÉE ☐   MOYENNE ☐

ÉLEVÉE ☐   SOUS LA MOYENNE ☐

Précise si tu veux maintenir ton niveau d'endurance actuel parce que, selon le test, il est déjà élevé ou très élevé, ou si tu veux l'améliorer parce qu'il est moyen ou sous la moyenne.

LE MAINTENIR ☐   L'AMÉLIORER ☐

Activités choisies :

1. _____

2. _____

3. _____

Indique comment les activités que tu as choisies te permettront d'améliorer ou de maintenir ton endurance cardiovasculaire.

_____

_____

_____

_____

_____

_____

Réaliseras-tu ce programme de mise en forme en solo ou en groupe ?

En solo ☐   En groupe ☐

S'il y a lieu, indique les personnes qui t'accompagneront.

Amis ☐   Camarades de classe ☐

Coéquipiers d'une équipe de sport ☐   Membres de la famille ☐

N'hésite pas à consulter la section BILAN DE TA CONDITION PHYSIQUE, aux pages 29 à 36, pour te rappeler les renseignements importants et les tests que tu dois utiliser.

En tenant compte de ta disponibilité, des équipements auxquels tu as facilement accès et de ta condition physique, prends quelques minutes pour remplir le tableau ci-dessous. Il s'agit en quelque sorte de ton plan de match pour cet objectif.

Si tu veux en savoir plus sur l'élaboration de **ton plan d'action**, ou pour créer ton plan d'action virtuel, que tu pourras modifier et faire évoluer selon tes choix, consulte le Compagnon Web. Tu y trouveras aussi des grilles d'évaluation qui t'aideront à faire les meilleurs choix.

Modalités de pratique et horaire d'une semaine type : objectif 1

Activités	Lieux de pratique	Fréquence/semaine	Durée/séance	Intensité/séance	Horaire type
1.	École ☐	1 fois ☐	20 min ☐	Modérée ☐	**Lundi :** de ____ h à ____ h
	Quartier ☐	2 fois ☐	30 min ☐	Élevée ☐	**Mardi :** de ____ h à ____ h
	Autre école ☐	3 fois ☐	35 min ☐	Modérée et élevée ☐	**Mercredi :** de ____ h à ____ h
	Centre communautaire ☐	4 fois ☐	40 min ☐		**Jeudi :** de ____ h à ____ h
		5 fois ☐	45 min ☐	Calcul de ta Fcc* : MIN _____	**Vendredi :** de ____ h à ____ h
	Autre _____	6 fois ☐	50 min ☐	MAX _____	**Samedi :** de ____ h à ____ h
		7 fois ☐	60 min ☐		**Dimanche :** de ____ h à ____ h
			_____ MIN		

* Calcul de la fréquence cardiaque cible (FCC) : 220 − âge
FCC miminale : FCC × 75 %
FCC maximale : FCC × 85 %

Par exemple, si tu as 15 ans, voici le calcul :
FCC : 220 − 15 = 205
205 × 75 % = 154 battements/min
205 × 85 % = 174 battements/min

Ta FCC devra donc se situer entre 154 et 174 battements/min pendant ton effort cardiovasculaire ou entre 38 et 43 battements aux 15 secondes.

Modalités de pratique et horaire d'une semaine type : objectif 1

Activités	Lieux de pratique	Fréquence/semaine	Durée/séance	Intensité/séance	Horaire type
2.	ÉCOLE ☐ QUARTIER ☐ AUTRE ÉCOLE ☐ CENTRE COMMUNAUTAIRE ☐ AUTRE _____	1 FOIS ☐ 2 FOIS ☐ 3 FOIS ☐ 4 FOIS ☐ 5 FOIS ☐ 6 FOIS ☐ 7 FOIS ☐	20 MIN ☐ 30 MIN ☐ 35 MIN ☐ 40 MIN ☐ 45 MIN ☐ 50 MIN ☐ 60 MIN ☐ _____ MIN	MODÉRÉE ☐ ÉLEVÉE ☐ MODÉRÉE ET ÉLEVÉE ☐ CALCUL DE TA FCC* : MIN _____ MAX _____	**Lundi :** de _____ h à _____ h **Mardi :** de _____ h à _____ h **Mercredi :** de _____ h à _____ h **Jeudi :** de _____ h à _____ h **Vendredi :** de _____ h à _____ h **Samedi :** de _____ h à _____ h **Dimanche :** de _____ h à _____ h
3.	ÉCOLE ☐ QUARTIER ☐ AUTRE ÉCOLE ☐ CENTRE COMMUNAUTAIRE ☐ AUTRE _____	1 FOIS ☐ 2 FOIS ☐ 3 FOIS ☐ 4 FOIS ☐ 5 FOIS ☐ 6 FOIS ☐ 7 FOIS ☐	20 MIN ☐ 30 MIN ☐ 35 MIN ☐ 40 MIN ☐ 45 MIN ☐ 50 MIN ☐ 60 MIN ☐ _____ MIN	MODÉRÉE ☐ ÉLEVÉE ☐ MODÉRÉE ET ÉLEVÉE ☐ CALCUL DE TA FCC* : MIN _____ MAX _____	**Lundi :** de _____ h à _____ h **Mardi :** de _____ h à _____ h **Mercredi :** de _____ h à _____ h **Jeudi :** de _____ h à _____ h **Vendredi :** de _____ h à _____ h **Samedi :** de _____ h à _____ h **Dimanche :** de _____ h à _____ h

* Calcul de la fréquence cardiaque cible (FCC) : 220 − âge
FCC miminale : FCC × 75 %
FCC maximale : FCC × 85 %

Par exemple, si tu as 15 ans, voici le calcul :
FCC : 220 − 15 = 205
205 × 75 % = 154 battements/min
205 × 85 % = 174 battements/min

Ta FCC devra donc se situer entre 154 et 174 battements/min pendant ton effort cardiovasculaire ou entre 38 et 43 battements aux 15 secondes.

Objectif 2 : Améliorer un aspect de ton choix. (ex. : privilégier les moyens de transport actifs chaque fois que c'est possible [ex. : marche, vélo, patin à roues alignées, escaliers, etc.], améliorer la flexibilité de la partie inférieure de mon dos ; améliorer la vigueur de mes abdominaux ; faire de l'activité physique chaque fois que c'est possible ; pratiquer une activité physique de groupe, un sport de plein air ; etc.).

_____

_____

Activités choisies :

1. _____

2. _____

3. _____

Indique comment ces activités te permettront d'atteindre ton second objectif.

_____

_____

Réaliseras-tu ce programme de mise en forme en solo ou en groupe ?

En solo ☐   En groupe ☐

S'il y a lieu, indique les personnes qui t'accompagneront.

Amis ☐   Camarades de classe ☐

Coéquipiers d'une équipe de sport ☐   Membres de la famille ☐

En tenant compte de ta disponibilité, des équipements auxquels tu as facilement accès et de ta condition physique, prends quelques minutes pour remplir le tableau ci-dessous. Il s'agit en quelque sorte de ton plan de match pour ton deuxième objectif.

Modalités de pratique et horaire d'une semaine type : objectif 2

Activités	Lieux de pratique	Fréquence/ semaine	Durée/ séance	Modalités d'exécution*	Horaire type
1.	École ☐	1 fois ☐	20 min ☐	_____	**Lundi :** de ____ h à ____ h
	Quartier ☐	2 fois ☐	30 min ☐	_____	**Mardi :** de ____ h à ____ h
	Autre école ☐	3 fois ☐	35 min ☐	_____	**Mercredi :** de ____ h à ____ h
		4 fois ☐	40 min ☐	_____	**Jeudi :** de ____ h à ____ h
	Centre communautaire ☐	5 fois ☐	45 min ☐	_____	**Vendredi :** de ____ h à ____ h
	Autre _____	6 fois ☐	50 min ☐	_____	**Samedi :** de ____ h à ____ h
		7 fois ☐	60 min ☐	_____	**Dimanche :** de ____ h à ____ h

* Exemples : Tu veux améliorer ta flexibilité : indique la durée de chaque étirement et le nombre de répétitions par exercice. Tu veux améliorer la vigueur de tes abdominaux : indique le nombre de répétitions visées ou la durée de l'exercice, etc.

Modalités de pratique et horaire d'une semaine type : objectif 2

Activités	Lieux de pratique	Fréquence/ semaine	Durée/ séance	Modalités d'exécution*	Horaire type
2.	ÉCOLE ☐	1 FOIS ☐	20 MIN ☐	_____	**Lundi :** de ____ h à ____ h
	QUARTIER ☐	2 FOIS ☐	30 MIN ☐	_____	**Mardi :** de ____ h à ____ h
	AUTRE ÉCOLE ☐	3 FOIS ☐	35 MIN ☐	_____	**Mercredi :** de ____ h à ____ h
	CENTRE COMMUNAUTAIRE ☐	4 FOIS ☐	40 MIN ☐	_____	**Jeudi :** de ____ h à ____ h
	AUTRE _____	5 FOIS ☐	45 MIN ☐	_____	**Vendredi :** de ____ h à ____ h
		6 FOIS ☐	50 MIN ☐	_____	**Samedi :** de ____ h à ____ h
		7 FOIS ☐	60 MIN ☐	_____	**Dimanche :** de ____ h à ____ h
3.	ÉCOLE ☐	1 FOIS ☐	20 MIN ☐	_____	**Lundi :** de ____ h à ____ h
	QUARTIER ☐	2 FOIS ☐	30 MIN ☐	_____	**Mardi :** de ____ h à ____ h
	AUTRE ÉCOLE ☐	3 FOIS ☐	35 MIN ☐	_____	**Mercredi :** de ____ h à ____ h
	CENTRE COMMUNAUTAIRE ☐	4 FOIS ☐	40 MIN ☐	_____	**Jeudi :** de ____ h à ____ h
	AUTRE _____	5 FOIS ☐	45 MIN ☐	_____	**Vendredi :** de ____ h à ____ h
		6 FOIS ☐	50 MIN ☐	_____	**Samedi :** de ____ h à ____ h
		7 FOIS ☐	60 MIN ☐	_____	**Dimanche :** de ____ h à ____ h

* Exemples : Tu veux améliorer ta flexibilité : indique la durée de chaque étirement et le nombre de répétitions par exercice. Tu veux améliorer la vigueur de tes abdominaux : indique le nombre de répétitions visées ou la durée de l'exercice, etc.

1.2 Volet Habitudes de vie

Ce volet de ton plan d'action est dédié à l'adoption de saines habitudes de vie, *autres que la pratique régulière d'activités physiques*.

Ton objectif : Améliorer trois comportements liés à au moins deux habitudes de vie.

Dans le tableau ci-dessous, on te présente une liste des comportements à adopter en ce qui a trait à l'alimentation, au sommeil, au stress et à d'autres habitudes. Tu peux effectuer tes choix parmi ceux-ci ou en choisir d'autres de ton cru.

HABITUDES EN MATIÈRE D'ALIMENTATION	HABITUDES EN MATIÈRE DE SOMMEIL	HABITUDES EN MATIÈRE DE STRESS	AUTRES HABITUDES À MODIFIER
<ul><li>Déjeuner tous les matins.</li><li>Manger plus de fruits et de légumes.</li><li>Manger des céréales riches en grains entiers.</li><li>Consommer tous les jours du lait ou des substituts du lait (ex. : boisson de soya, fromage, yogourt, etc.).</li><li>Éviter de grignoter en regardant la télé ou en surfant sur Internet.</li><li>Modérer ma consommation d'aliments riches en gras, en sucre raffiné et en sel (ex. : beignes, boissons gazeuses, crème glacée, croustilles, frites, pâtisseries, etc.).</li><li>Éviter de manger juste avant d'aller au lit.</li><li>Prendre une collation santé l'avant-midi et l'après-midi (ex. : du fromage en ficelles, un fruit, un jus de fruits naturel, des noix mélangées, etc.).</li><li>Boire suffisamment d'eau quand je suis physiquement actif ou active.</li><li>Éviter ou diminuer ma consommation de boissons énergisantes hyper caféinées.</li></ul>	<ul><li>Essayer de me coucher à la même heure le plus souvent possible.</li><li>Éviter d'avoir des pensées négatives quand je suis au lit.</li><li>Éviter de faire des activités physiques vigoureuses deux heures avant de me coucher.</li><li>Utiliser, au besoin, des moyens pour me détendre avant d'aller au lit (ex : bain chaud, lecture, techniques de relaxation, etc.).</li><li>Pratiquer une activité physique au grand air pendant la journée.</li></ul>	<ul><li>Me tenir à jour dans mes travaux scolaires.</li><li>Utiliser, au besoin, une technique de relaxation.</li><li>Pratiquer une activité physique pour me détendre.</li><li>Améliorer la qualité de mon sommeil.</li><li>Éviter, autant que possible, les situations, les événements ou les personnes qui me stressent. au plus haut point</li><li>Être plus optimiste.</li><li>Éviter de dramatiser des situations qui n'ont pas à l'être.</li></ul>	<ul><li>Cyberdépendance</li><li>Tabagisme</li><li>Consommation d'alcool</li><li>Consommation de drogues</li><li>Esprit critique</li></ul>

Indique trois comportements liés à tes habitudes de vie que tu souhaites modifier et la stratégie que tu appliqueras pour y arriver (tes comportements et tes moyens de contrôle). Par exemple, comportement : manger au moins quatre portions de fruits et légumes ; moyen de contrôle : tenir un journal alimentaire.

Comportement 1		Stratégie (Comment feras-tu pour adopter ce nouveau comportement ?)
Comportement 2		Stratégie
Comportement 3		Stratégie

② L'application de ton plan d'action

Un des moyens parmi les plus simples et les plus efficaces pour vérifier la bonne marche de ton plan d'action est la tenue d'un journal de bord. En voici un que tu peux utiliser à cette étape-ci de ton projet.

	ACTIVITÉS	DURÉE TOTALE	INTENSITÉ MOYENNE MODÉRÉE (M) ÉLEVÉE (E) MODÉRÉE ET ÉLEVÉE (ME)	COMPORTEMENTS À MODIFIER J'Y PARVIENS TOUJOURS (A) J'Y PARVIENS DE TEMPS À AUTRE (B) J'Y PARVIENS RAREMENT (C)
Semaine 1 du ___ au ___	1. _____	_____	INTENSITÉ ____ FCC ENREGISTRÉE : ____	**Comportement 1** ___
	2. _____	_____	INTENSITÉ ____ FCC ENREGISTRÉE : ____	**Comportement 2** ___
	3. _____	_____	INTENSITÉ ____ FCC ENREGISTRÉE : ____	**Comportement 3** ___
Semaine 2 du ___ au ___	1. _____	_____	INTENSITÉ ____ FCC ENREGISTRÉE : ____	**Comportement 1** ___
	2. _____	_____	INTENSITÉ ____ FCC ENREGISTRÉE : ____	**Comportement 2** ___
	3. _____	_____	INTENSITÉ ____ FCC ENREGISTRÉE : ____	**Comportement 3** ___

Volet Activité physique — *Volet Habitudes de vie*

AJUSTEMENTS À APPORTER, SI NÉCESSAIRE, APRÈS CES DEUX SEMAINES

Tu expérimentes ton plan d'action depuis maintenant deux semaines. Note, s'il y a lieu, les difficultés que tu as éprouvées.

_____

_____

Crois-tu pouvoir surmonter ces difficultés ?   OUI ☐   NON ☐

Si oui, comment ?

_____

_____

Si non, as-tu apporté des changements à ton plan ? Lesquels ?

_____

_____

	Volet Activité physique			Volet Habitudes de vie
	ACTIVITÉS	**DURÉE TOTALE**	**INTENSITÉ MOYENNE** MODÉRÉE (M) ÉLEVÉE (E) MODÉRÉE ET ÉLEVÉE (ME)	**COMPORTEMENTS À MODIFIER** J'Y PARVIENS TOUJOURS (A) J'Y PARVIENS DE TEMPS À AUTRE (B) J'Y PARVIENS RAREMENT (C)
Semaine 3 du ___ au ___	1. _____	_____	INTENSITÉ ____ FCC ENREGISTRÉE : ____	**Comportement 1** ___
	2. _____	_____	INTENSITÉ ____ FCC ENREGISTRÉE : ____	**Comportement 2** ___
	3. _____	_____	INTENSITÉ ____ FCC ENREGISTRÉE : ____	**Comportement 3** ___
Semaine 4 du ___ au ___	1. _____	_____	INTENSITÉ ____ FCC ENREGISTRÉE : ____	**Comportement 1** ___
	2. _____	_____	INTENSITÉ ____ FCC ENREGISTRÉE : ____	**Comportement 2** ___
	3. _____	_____	INTENSITÉ ____ FCC ENREGISTRÉE : ____	**Comportement 3** ___

AJUSTEMENTS À APPORTER, SI NÉCESSAIRE, APRÈS CES DEUX SEMAINES

Tu expérimentes ton plan d'action depuis maintenant quatre semaines. Note, s'il y a lieu, les difficultés que tu as éprouvées.

_____

_____

Crois-tu pouvoir surmonter ces difficultés ?   OUI ☐   NON ☐

Si oui, comment ?

_____

_____

_____

Si non, as-tu apporté des changements à ton plan ? Lesquels ?

_____

_____

Y vois-tu des points positifs ? Lesquels ?

_____

_____

	Activités	Durée totale	Intensité moyenne Modérée (M) Élevée (E) Modérée et élevée (ME)	Comportements à modifier J'y parviens toujours (A) J'y parviens de temps à autre (B) J'y parviens rarement (C)
		Volet Activité physique		**Volet Habitudes de vie**
Semaine 5 du ___ au ___	1. _____	_____	Intensité ____ Fcc enregistrée : ____	**Comportement 1** ___
	2. _____	_____	Intensité ____ Fcc enregistrée : ____	**Comportement 2** ___
	3. _____	_____	Intensité ____ Fcc enregistrée : ____	**Comportement 3** ___
Semaine 6 du ___ au ___	1. _____	_____	Intensité ____ Fcc enregistrée : ____	**Comportement 1** ___
	2. _____	_____	Intensité ____ Fcc enregistrée : ____	**Comportement 2** ___
	3. _____	_____	Intensité ____ Fcc enregistrée : ____	**Comportement 3** ___

Ajustements à apporter, si nécessaire, après ces deux semaines

Tu expérimentes ton plan d'action depuis maintenant six semaines. Note, s'il y a lieu, les difficultés que tu as éprouvées.

_____

_____

Crois-tu pouvoir surmonter ces difficultés ?   Oui ☐   Non ☐

Si oui, comment ?

_____

_____

_____

Si non, as-tu apporté des changements à ton plan ? Lesquels ?

_____

_____

_____

_____

	Volet Activité physique			Volet Habitudes de vie
	ACTIVITÉS	**DURÉE TOTALE**	**INTENSITÉ MOYENNE** MODÉRÉE (M) ÉLEVÉE (E) MODÉRÉE ET ÉLEVÉE (ME)	**COMPORTEMENTS À MODIFIER** J'Y PARVIENS TOUJOURS (A) J'Y PARVIENS DE TEMPS À AUTRE (B) J'Y PARVIENS RAREMENT (C)
Semaine 7 du ___ au ___	1. _____	_____	INTENSITÉ ___ FCC ENREGISTRÉE : ___	**Comportement 1** ___
	2. _____	_____	INTENSITÉ ___ FCC ENREGISTRÉE : ___	**Comportement 2** ___
	3. _____	_____	INTENSITÉ ___ FCC ENREGISTRÉE : ___	**Comportement 3** ___
Semaine 8 du ___ au ___	1. _____	_____	INTENSITÉ ___ FCC ENREGISTRÉE : ___	**Comportement 1** ___
	2. _____	_____	INTENSITÉ ___ FCC ENREGISTRÉE : ___	**Comportement 2** ___
	3. _____	_____	INTENSITÉ ___ FCC ENREGISTRÉE : ___	**Comportement 3** ___

AJUSTEMENTS À APPORTER, SI NÉCESSAIRE, APRÈS CES DEUX SEMAINES

Tu expérimentes ton plan d'action depuis maintenant huit semaines. Note, s'il y a lieu, les difficultés que tu as éprouvées.

_____

_____

Crois-tu pouvoir surmonter ces difficultés ?   OUI ☐   NON ☐

Si oui, comment ?

_____

_____

_____

Si non, as-tu apporté des changements à ton plan ? Lesquels ?

_____

_____

Y vois-tu des points positifs ? Lesquels ?

_____

_____

③ L'évaluation de ton plan d'action

Te voilà enfin au fil d'arrivée après huit semaines d'application de ton plan d'action.

a) As-tu atteint ton objectif en ce qui concerne ton endurance cardiovasculaire ?

Oui ☐   Non ☐

Si oui, démontre-le en reportant ici les résultats des évaluations de ton endurance cardiovasculaire.

Nom du test	Test 1 Date : _____	Test 2 Date : _____	Test 3 Date : _____
	Résultat : _____	Résultat : _____	Résultat : _____
_____	Niveau : _____	Niveau : _____	Niveau : _____

Si non, parmi les raisons suivantes, coche celles qui pourraient expliquer que tu n'aies pas atteint ton objectif.

Manque de régularité ☐   Durée de l'effort insuffisante ☐

Intensité de l'effort trop faible ☐   Fréquence hebdomadaire insuffisante ☐

b) As-tu atteint ton deuxième objectif du volet Activité physique ?   Oui ☐   Non ☐

Parmi les raisons suivantes, coche celles qui pourraient expliquer que tu n'aies pas atteint ton objectif.

Manque de régularité ☐

Intensité de l'effort trop faible ☐

Durée de l'effort insuffisante ☐

Fréquence hebdomadaire insuffisante ☐

c) As-tu atteint ton objectif du volet Habitudes de vie en ce qui concerne l'amélioration de trois comportements ?

Oui, à 100 % ☐   Oui, en partie ☐   Non, pas du tout ☐

Indique le ou les comportements que tu n'as pas réussi à améliorer.

_____

_____

_____

Pour quelles raisons, selon toi, n'as-tu pas atteint ton objectif à 100 % ?

_____

_____

_____

d) Ce que tu retiens

_____
_____
_____
_____
_____

e) Ce que tu comprends

_____
_____
_____
_____
_____
_____

f) Ce que tu souhaites poursuivre

_____
_____
_____
_____
_____

g) Tes réussites

_____
_____
_____
_____
_____
_____

GLOSSAIRE

A

Acide aminé : Composé chimique possédant les 2 fonctions amine et acide ; l'une des 20 substances organiques naturelles qui servent à la formation des protéines **(p. 103)**.

Acide lactique : Acide produit par les cellules musculaires en l'absence d'oxygène **(p. 22)**.

Adrénaline : Hormone sécrétée par les glandes surrénales, qui accélère le rythme cardiaque, augmente la tension artérielle et permet à l'organisme de s'adapter rapidement à des agressions extérieures **(p. 87)**.

Agent stressant : Stimulus, nocif ou non, qui provoque un état de stress dans un organisme vivant.

Les agents stressants peuvent être de nature physique (ex. : le froid), chimique (ex. : un poison), biologique (ex. : une bactérie), physiologique (ex. : une hémorragie) ou psychique (ex. : une émotion, qu'elle soit agréable ou désagréable) **(p. 86)**.

Anticorps : Substance de défense, fabriquée par le corps en présence de substances étrangères à l'organisme (ex. : microorganisme, substance chimique, etc.), nommées *antigènes*, avec lesquelles elle se combine pour en neutraliser l'effet toxique **(p. 80)**.

Anxiété : Sentiment d'un danger imminent et indéterminé, s'accompagnant d'un état de malaise, d'agitation, de désarroi et d'anéantissement. Elle est synonyme de grande inquiétude.

Elle engendre une attitude générale d'apathie, de recul devant les initiatives, de manque de confiance quant à l'issue d'une tâche, surtout dans le cadre social **(p. 89)**.

Appareil cardiovasculaire : Ensemble constitué du cœur et des vaisseaux sanguins, qui a pour fonction d'assurer la circulation du sang dans l'organisme **(p. 17)**.

B

Blogue : Page Web personnelle où l'internaute écrit, sur une base régulière et sur divers sujets, de courts billets au ton libre, habituellement présentés dans un ordre chronologique inversé et assortis de liens vers des pages analogues **(p. 7)**.

E

Eczéma : Affection cutanée caractérisée par des rougeurs, des vésicules suintantes et la formation de croûtes et de squames **(p. 90)**.

Endurance cardiovasculaire : Capacité du cœur et des poumons de fournir, pendant un certain temps, un effort modéré qui fait travailler, de manière dynamique, l'ensemble des muscles **(p. 25)**.

Exerciseur cardiovasculaire : Appareil d'entraînement qui vise à améliorer l'endurance du cœur (ex. : vélo stationnaire ; exerciseur elliptique ; tapis roulant ; simulateur d'escalier ; rameur ; etc.) **(p. 17)**.

F

Flexibilité : Caractère de ce qui se courbe facilement **(p. 25)**.

Folate : Vitamine contenue dans les légumes à feuilles, nécessaire pour la reproduction et la multiplication cellulaire, la formation des globules rouges et pour l'absorption des vitamines B1, B2, B6, C, D et E **(p. 70)**.

H

Hypertension artérielle : Élévation anormale de la pression que le sang exerce sur les parois des artères **(p. 73)**.

I

Influx nerveux : Phénomène de nature électrique par lequel l'excitation d'une fibre nerveuse se propage dans le nerf **(p. 20)**.

M

Métabolisme de repos : Quantité d'énergie dépensée par le corps en état de repos, par exemple lorsqu'on suit un cours ou qu'on regarde un film **(p. 17)**.

Muscle squelettique : Muscle volontaire fixé à un os du squelette, qui en permet le mouvement **(p. 17)**.

N

Nutriment : Élément contenu dans les aliments et pouvant être entièrement et directement assimilé par l'organisme. Les nutriments sont généralement classés en nutriments énergétiques (les glucides, les lipides et les protéines) et en nutriments essentiels (les vitamines, les minéraux et l'eau) **(p. 52)**.

P

Principe de précaution : Principe de biosécurité invoqué face à un possible danger pour la santé humaine, animale ou végétale, ou pour la protection de l'environnement, dans le cas où les données scientifiques ne permettent pas une évaluation complète du risque **(p. 104)**.

R

Raffinage : Processus industriel qui permet de traiter une substance de façon à l'épurer et à en obtenir des substances consommables ou utilisables, comme le pétrole transformé en essence **(p. 21)**.

S

Stress émotionnel : Réaction psychologique en réponse à une tension sur l'organisme.

Le stress émotionnel prend sa source à même la répétition des éléments qui façonnent notre quotidien et notre perception de celui-ci. Il entraîne des réactions émotives intenses chez l'individu, d'où son appellation **(p. 88)**.

Supplément alimentaire : Produit souvent destiné aux personnes qui font du sport et vendu sous diverses formes (ex. : boissons, tablettes, comprimés, etc.) **(p. 76)**.

V

Vigueur des muscles : Capacité d'un muscle à être endurant ou fort, ou mieux encore, à être endurant et fort à la fois.

Les muscles travaillent en endurance lorsqu'ils répètent, pendant un certain temps, une contraction avec un effort modéré.

Les muscles travaillent en force lorsqu'ils développent une forte tension au moment d'une contraction maximale de courte durée **(p. 25)**.

SOURCES ICONOGRAPHIQUES

Légende : b : bas ; c : centre ; d : droite ; e : extrême ; f : fond ; g : gauche ; h : haut

Photographies

CORBIS
Couverture 1 (h) : F. Cardoso
Couverture 1 (cc) : A. Huber/U. Starke/zefa
Couverture 1 (b) : D. Degran
p. 4-5 (f) : C. Anderson/Brand X
p. 4 (1re rangée, eg) : B. Allig/zefa
p. 4 (1re rangée, g) : T. Fricke
p. 4 (1re rangée, d) : moodboard
p. 4 (1re rangée, ed) : moodboard
p. 4 (2e rangée, eg) : Mika/zefa
p. 4 (2e rangée, g) : moodboard
p. 4 (2e rangée, d) : P. Turnley
p. 4 (2e rangée, ed) : I. St Clair/Blend Images
p. 4 (3e rangée, eg) : J. Tomter/zefa
p. 4 (3e rangée, g) : L. Stone/Sygma
p. 4 (3e rangée, d) : T. Garcha/zefa
p. 4 (4e rangée, eg) : J. Share & Kaoru
p. 4 (4e rangée, g) : D. Mason
p. 4 (4e rangée, d) : T. Pannel
p. 4 (4e rangée, ed) : J. Grossi/zefa
p. 4 (5e rangée, eg) : H. King
p. 4 (5e rangée, g) : moodboard
p. 4 (5e rangée, ed) : H. Winkler
p. 6 (1re rangée, c) : L. Doss
p. 6 (1re rangée, d) : R. Elstermann/zefa
p. 6 (2e rangée, g) : K. Seet
p. 6-7 (2e rangée) : R. Faris
p. 6 (3e rangée, g) : G. Brown
p. 6 (3e rangée, d) : Mika/zefa
p. 6 (4e rangée, d) : Redlink Production
p. 8-9 : W. Whitehurst
p. 10-11 : D. Degnan

CP IMAGES
p. 76 (b, devant) : R. Remiorz

DE BOECK
p. 22 (b)

DORLING KINDERSLEY
p. 20

ISTOCKPHOTO
Couverture 1 (cg) : K. Inozemtsev
p. 2-3 : M. Deliormanli

MAXX IMAGES
p. 6-7 (f) : K. Keranen

PHOTOTHÈQUE ERPI
p. 18 (b)
p. 19 (b)
p. 40 à 43
p. 62 à 65

SHUTTERSTOCK
Couverture 1 (cd) : R. Wilson
p. 4 (3e rangée, ed) : Tsian
p. 4 (5e rangée, d) : Tsian
p. 4 (c) : anopdesignstock
p. 6 (1re rangée, g) : M. D. Milliman
p. 6 (4e rangée, g) : Monkey Business Images
p. 11 (0) : Pepita
p. 11 (1) : Ulza
p. 11 (2) : K. Tavrov

p. 11 (3) : DeshaCam
p. 11 (4) : Saniphoto
p. 11 (5) : B. Stocker
p. 12 (h) : N. Siverina
p. 12-13 : R. G. Santa Maria
p. 15 (h) : J. Tromeur
p. 15 (b) : T. Lance
p. 16 (h) : T. Jesenicnik
p. 16 (h, c) : M. Novak
p. 16 (b, c) : E. Dmitry
p. 16 (b) : NREY
p. 17 : A. Danti
p. 19 (h) : Zphoto
p. 21 : J. Dao Hua
p. 22 (h) : Gulsev
p. 24 : Stanislaff
p. 25 : PeterG
p. 29 : A. Kosev
p. 37 : K. D. French
p. 44 et 46 : Mills21
p. 47 (fond) : M. Monohan
p. 50 : S. D. Kizil
p. 51 : Roca
p. 52 (h) : T. Jesenicnik
p. 52 (b) : Mushakesa
p. 53 : E. Krasnikova
p. 66 (h) : V. Vassileff
p. 66 (b) : G. Smith
p. 67 : Matt
p. 69 (h) : D. R. Hess
p. 69 (b) : C. Harvey
p. 70 : H. Yakushevich
p. 72 : Yamix
p. 73 : E. Moiseeva
p. 74 : T. Strelkova
p. 75
p. 76 (h) : Suravid
p. 76 (b, f) : R. Ladkowski
p. 77 (h) : T. Popova
p. 77 (b) : T. Irina
p. 78 et 79
p. 81 : K. Molin
p. 82 : J. Hauge
p. 83 (h) : Timurpix
p. 83 (b) : C. Taylor
p. 84 : Y. Arcurs
p. 86 : A. Lozano
p. 87 : Dejan01
p. 88 (h) : A. Patterson Peppers
p. 88 (b) : M. Damkier
p. 89 : H. Gleghorn
p. 90 : J. Tromeur
p. 91 : O. Kushcheva
p. 92 (h) : M. Lopes
p. 92 (c) : Y. Chauvin
p. 92 (b) : G. McRedel
p. 93 (h) : O. Lyubkina
p. 93 (c) : Anyka
p. 93 (b, g) : M. Lopes
p. 93 (b, d) : G. McRedel
p. 94, 95 et 96 : Yellowj
p. 97 (g) : B. Rolff
p. 97 (d) : E. Ozkan
p. 100 : Piko72
p. 101 : A. Efimov

p. 102 : Digitalife
p. 103 (h) : Laurie K.
p. 103 (c) : A. Staroseltsev
p. 103 (b) : Design
p. 104 : J. Pavlinec
p. 105 (h) : G. Moisa
p. 105 (c) : J. Vasata
p. 105 (b) : K. Renes
p. 106 : D. Miraniuk
p. 107 : S. Strathdee
p. 108 : A. Pidjass
p. 109 : Ighost
Couverture 4

TANGO
p. 32
p. 33
p. 34
p. 35
p. 45
p. 48

Documents écrits

L'ACTIVITÉ PHYSIQUE
p. 28 : Adapté d'El MOUDJAHID, « L'exercice renforce les poumons », *El Moudjahid* [en ligne]. (Consulté le 21 mars 2009.)

L'ALIMENTATION
p. 68-69 : Vincent COLLARD, « 10 mythes sur la perte de poids », *Châteleine,* décembre 2006 [en ligne]. (Consulté le 18 mars 2009.)
p. 77 : Adapté de Mireille BELZILE, « Les suppléments alimentaires sont-ils nécessaires pour une bonne performance ? », *Le Médecin du Québec,* vol. 42, n° 1, janvier 2007, p. 39-42.

LE SOMMEIL
p. 81 : Adapté de Léon René DE COTRET, « Le sommeil : une période d'activité intense », *Passeportsanté.net* [en ligne]. (Consulté le 21 mars 2009.)
p. 82 : Adapté de FilSanteJeunes.com, *Les stades du sommeil* [en ligne]. (Consulté le 21 mars 2009.)
p. 84 (bas) : Adapté de Neuf mois avec toi et toute la vie ensuite, *Sommeil et sport* [en ligne]. (Consulté le 21 mars 2009.)

D'AUTRES COMPORTEMENTS SOUS INFLUENCE
p. 107 : Adapté de Doctissimo, *Êtes-vous cyberdépendant ?* [en ligne]. (Consulté le 21 mars 2009.)
p. 108 : Adapté de Dimitri HAIKIN, psychologue, psychothérapeute et directeur du site psy.be, « La cyberdépendance, nouvelle drogue des temps modernes ? », *psy.be* [en ligne]. (Consulté le 18 mars 2009.)